1955—1975 全国中医献方类编

第二辑 消化系统疾病秘验方

肝胆病

李占东 主编

學苑出版社

图书在版编目(CIP)数据

肝胆病:1955—1975 全国中医献方类编/李占东主编.
北京:学苑出版社,2019.7
ISBN 978-7-5077-5746-0

Ⅰ.①肝… Ⅱ.①李… Ⅲ.①肝病(中医)-验方-汇编
②胆病(中医)-验方-汇编 Ⅳ.①R289.51

中国版本图书馆 CIP 数据核字(2019)第 126107 号

责任编辑:付国英
出版发行:学苑出版社
社　　址:北京市丰台区南方庄 2 号院 1 号楼
邮政编码:100079
网　　址:www.book001.com
电子信箱:xueyuanpress@163.com
电　　话:010-67603091(总编室)、010-67601101(销售部)
经　　销:新华书店
印 刷 厂:北京市京宇印刷厂
开本尺寸:880×1230 1/32
印　　张:4.5
字　　数:150 千字
版　　次:2019 年 7 月第 1 版
印　　次:2019 年 7 月第 1 次印刷
定　　价:36.00 元

1955—1975 全国中医献方类编

编 委 名 单

主　编　李占东

副主编　郑　智　张　喆

编　委　（按姓氏笔画排序）

王淑华　王颖辉　冯　烨

杨凤英　杨金利　杨殿啟

李　军　岳红霞　徐秀兰

董群弟　傅开龙

前　　言

随着人们对自身健康的愈加关注，了解、学习中医和中药已蔚然成风。尤其是那些经受住了临床验证而流传沿用至今的单方、验方、秘方，因其便于使用，能花小钱治大病，而深受读者、尤其是非医药专业的普通大众的喜爱。

一直以来，中医医家和学者均有将家传或收集的单方、验方、秘方刊刻出版的传统。据统计，历代方书中占绝大多数的都是单方、验方和秘方类，充分说明了这一类药方有确切的疗效和长久的生命力。

众所周知，受传统思想影响，许多中医都抱着“有子传子，无子传贤；无子无贤，抱卷长眠”的思想，验方秘方概不轻易外传。但在 20 世纪 50 到 70 年代，在政府的主导和动员下，搞过多次颇有成效的全国献方运动，许多老中医不仅公开交流了他们历年积累的医学经验，还纷纷献出了自己压箱底的治病药方。

如，四川省郫县 70 多岁的老中医钟载阳献出祖传治疗腹水的秘方，河北承德民间医生盛子章献出治疗梅毒的秘方，四川省江津市中医邱文正献出“跳骨丹”方，江苏省南通中医院的陈照献出治瘰疬方，河北省石家庄市中医献出治疗乙脑的秘方，江苏省南通季德胜献出季家六代祖传的蛇虫毒秘方，贵州省挖掘出著名的卢老太太治疗慢性肾炎的秘方，江苏省第二康复医院杨雨辰医师献出家传三代的验方四册，等等。

这些献方均由各省组织专家进行审核编纂，保留有确切疗效的，剔除有毒有害的，最终集结成书。遗憾的是，这些书很多后来一直没有再版，市场上也鲜有流传，导致昔日瑰宝被尘封多年。

为了使这一时期的珍贵药方不被丢弃泯灭，我们多方搜集1955—1975年间编纂的献方共96册。因为当时的献方运动是按照地区来开展进行，所以这些书也都是按照地区来编的，如河北省验方，山西省验方等。这样以地域为纲的编法，不便于现代人的阅读查用。所以，我们又把书中的献方顺序全部打乱，并按照常见疾病如胃病、哮喘等，重新编排成册，以更切合当今读者需求。

本着“有则多，无则少”的原则，本次整理出的这套丛书分为十辑，共39本。第一辑：呼吸系统常见疾病，共三本。第二辑：消化系统常见疾病，共六本。第三辑：泌尿系统常见疾病，共两本。第四辑：妇科常见病，共7本。第五辑：儿科常见病，共三本。第六辑：心脑血管常见疾病，共两本。第七辑：内分泌系统常见疾病，共两本。第八辑，其他常见病，共六本。第九辑：外科骨伤病，共三本。第十辑：五官科疾病，共四本。统一称为《1955—1975全国中医献方类编》。

与市场上流行的很多药方出处不明也不知是否有效的方书不同，本套丛书最大特色就是献方的真实性，以及疗效的确切性。

之所以能这么肯定，还要从那场轰轰烈烈的全国献方运动说起。毫无疑问，那是一次全国范围内自上而下，深受当时政府重视的的中医运动。

1941 年 9 月，陕甘宁边区国医研究会召开第二次代表会议，与会中医献出治疗夜盲症、腹痛、心痛、花柳等病的祖传秘方十余种，这是中国共产党领导的中医工作中第一次公开献方，意在打破传统中医的保守风气，使验方、秘方能广泛传播，为民所用，并借此提高中医政治地位。

此后，边区组织各地召开医药研究会和医药座谈会，发现了很多模范医生，也公开了很多秘方。

1944 年，既是中医业者，又素为毛泽东所推重的陕甘宁边区政府副主席李鼎铭再次号召中医者公开各自的秘方。

1955 年 3 月召开的全国卫生科学研究委员会第一届第四次会议强调："……对中医中药知识和中医临床经验进行整理和研究，搜集和整理中医中药书籍（包括民间验方、单方），使它提高到现代的科学水平，是我们医学科学研究工作者的光荣任务。"从而明确指出要对献方进行整理研究并集结出版，全国各地均积极响应号召。

较早开展此项工作的是江苏省徐州市卫生局。1954 年 10 月，徐州市卫生局聘请了 9 名经验丰富的中医对该地区所献验方进行甄审，并将这些验方分为三类：第一类是用于治疗常见病，且临床已证实有效；第二类是用于治疗常见病，临床上认为使用有效而尚未经科学证实者；第三类是治少见病或有离奇药，临床疗效不显著者。经过层层筛选，最后，仅从第一、二类验方中选出了 18 个确有实效的进行推广。

同样的，为确证献方疗效，杭州市卫生局组织中西医生进行共同讨论和分析；南通市则召开“中医验方试用座谈会”，由中医师介绍验方试用情况并进行讨论。

虽然全国各地对验方进行筛选的具体做法不尽相同，但都是稳妥而令人信服的。

1955年，江苏、福建两省出版了中医验方集。1956年，山西、江苏、河北、辽宁、黑龙江、福建6省相继出版了中医验方集；1957年，云南、四川、河南、广东、山东、陕西6省及西安市出版了中医验方集，河北、山西、黑龙江等省则出版了验方续集；1958年，广西、吉林、安徽、贵州、青海等省和重庆市、武汉市也组织出版了验方集，江苏、河南两省则出版了验方续集。

这些验方集出版后，都深受读者好评，一版再版。

1958年10月11日，毛泽东主席指出：“中国医药学是一个伟大的宝库，应当努力发掘，加以提高。”于是，采集单方、验方、秘方之举由面向中医从业者迅速扩大为全国范围内的群众运动。可以说，此时的献方运动已经带有了强烈的政治色彩，各地“先后编出了数以百计的中医验方集”，献方数量之庞大令人震撼，但内容良莠不齐的情况也开始出现。

值得一提的是，由浙江中医研究所实验确证“蝌蚪避孕单方”无效的报道于1958年4月发表于《人民日报》，该报还在《编后》中告诫：“民间单方在经过科学分析、实验和研究鉴定后再进行推广，才能对人民健康有所保证！”

同年11月，《人民日报》社论要求，“必须组织人力把这些民间药方分门别类地加以整理，并进行研究和鉴定”。说明当时已注意到，不经过细致的研究整理和验证就大事推广，是不妥当的。必须本着认真负责的态度，进行去粗取精和去伪存真的工作。

之后很长的时间里，全国各地整理出版的献方集基本遵循此原则，对药方的可靠性和有效性进行把关，不再一味追求多和全。如江西省中医药研究所整理出版的《锦方实验录》仅“精选了附有治验的255方”。

单方、验方、秘方既然多年来不断传承并在民间得以运用，必然有其独特的治疗价值，我们理应重视并将其传承推广下去。所以本套丛书按照常见疾病对献方进行分类归纳，相较当时对药方按照地域划分的方式，明显现在的编排更方便读者查找使用。

本着对献方者的尊重，方中的计量单位仍保留原样（多为钱、两），不予以修改。

中医“法可定，方无穷”，尽信方不如无方，故读者在查询使用时尽量能咨询相关专家，辨证论治与专病专方相结合。当然在本套丛书的编纂过程中，我们将含有毒性药物、国家现已明确规定不能使用药物的药方，以及带有明显迷信色彩的药方均一一进行剔除，希望能尽量保证本套书中献方的安全性和有效性，也希望这些目前看来仍不为大众熟知的单方、验方、秘方能早日为人民健康作出应有的贡献。

本套丛书从开始四处搜集资料到终于成书面世，历时近十年！原始资料的搜集、翻拍，对大量资料内容的进一步甄别、整理，每一册书中所收录验方的删选、归类，药物剂量的逐一核实，都花费了大量的时间和人力。在此，还要特别感谢提供资料的刘小军，不厌其烦整理内容、调整版式的郑杰，以及在成书过程中给予很多建议和方案的学苑出版社陈辉社长，感谢他们多年以来的支持和付出！

最后，希望这套颇具特色的验方系列丛书，能发挥出它们独特的治疗价值，并能得到应有的重视和广泛的传播！

学苑出版社　付国英

2019 年 6 月 11 日

目　　录

一、肝炎

肝炎即肝脏炎症的统称。通常是指由多种致病因素，如病毒、药物、酒精、自身免疫等使肝脏细胞受到破坏，肝脏功能受到损害而引起的身体不适反应，以及肝功能指标的异常。

需要注意的是，通常我们所说的肝炎，指的是由甲型、乙型、丙型等肝炎病毒引起的病毒性肝炎。

【主治】 传染性肝炎。

【方药】 茵陈一两　元柏三钱

【用法】 水煎服，小孩可加糖。

【出处】 （《吉林省中医验方秘方汇编》第三辑）。

【主治】 慢性肝炎。

【方药】 黄郁金四钱半　枳实四钱半　牛胆素五分

【用法】 制成舒肝散片，每片一分，每次5~7片，每日三次，饭后服。并服辅助剂：金铃子、延胡索、赤芍、天仙屯、香附、鸡内金（水煎日服二次）。疗程50天。

【出处】 浙江省中医药研究所（《中医名方汇编》）。

【主治】 肝炎。

【方药】 光泽泻三钱　茵陈三钱　延胡索一钱　郁金八分　粉甘草二钱　云苓二钱

【用法】 水煎服。

【出处】 江西东乡（《中医名方汇编》）。

【主治】 传染性肝炎。

【方药】 茵陈六钱　郁金三钱　云苓五钱　白术二钱　泽泻三钱　猪苓二钱　元胡三钱　鸡内金三钱　制香附三钱　山栀子三钱　柴胡三钱　龙胆草二钱　甘草二钱

【煎法及用法】 用水六茶杯，煎至二茶杯，清出，分二次饭前温服，三小时服一次。渣再煎服。

【加减】 若发烧不退者，加黄连一钱半，鳖甲三钱。小儿按年龄酌减。

【禁忌】 孕妇忌服。

【出处】 （《青海中医验方汇编》）。

【主治】 肝炎（专治湿热阳性黄疸）。

【方药】 茵陈四钱　滑石三钱　陈皮三钱　赤苓三钱　山栀二钱　龙胆三钱　大黄一钱五分　干姜五分　泽泻三钱　连轺三钱　猪苓三钱　甘草一钱　盐柏二钱

【用法】 灯竹为引，水煎服。孕妇忌服。

【出处】 海龙县王炳臣（《吉林省中医验方秘方汇编》第三辑）。

【主治】 肝炎。

【方药】 ①茵陈八钱　焦楂五分　元参三钱　白芍六钱　双花一两　莪术一钱　连轺二钱　桃仁一钱　内金三钱　泽泻三钱　牵牛一钱。水煎服。

②当归四钱　白芍四钱　牡蛎三钱　元参三钱　连轺三钱　苓皮三钱　桃仁二钱　大贝二钱　鳖甲三钱　莪术一钱　双花四钱　内金三钱　郁金一钱五分　枳实二钱　白术三钱。水煎服。

【出处】 磐石镇（《吉林省中医验方秘方汇编》第三辑）。

【主治】 头晕饱闷，恶心呕吐，皮肤及巩膜发生黄疸，腹部不适，肝脏肿大有压痛，大便不规则，小便短赤。

【方药】 ①藿香三钱　厚朴二钱　白蔻一钱半　银花三钱　连翘三钱　赤小豆五钱　栀子三钱　郁金三钱　石菖蒲二钱　茵陈一两　木通三钱

②活泥鳅（小的）六条

【用法】 ①煎服、连服十五剂至二十一剂。

②冷开水洗净分两次吞服。

【提示】 采用以上方法治疗，有十个病例，都取得显著成绩。第一方是参合吴鞠通连翘赤豆饮及叶天士甘露丹方意，如大便秘者，可加大黄三钱，元明粉三钱；大便溏滞者，加腹皮三钱，神曲一钱；右胁痛甚者，加枳实三钱，瓜壳三钱；形成腹水者，加海金沙三钱，鸡内金三钱；发生迷昏者加牛黄清心丸一二颗化服。第二方系民间治湿热黄疸历著卓效之单方，故借用之。

【出处】 湖南省立中医院谭日强副院长（《湖南省中医

单方验方》第二辑）。

【主治】 传染性肝炎。

【方药】 茵陈蒿汤加味

【提示】 服药后退烧1~2天，黄疸消7~8天，肝恢复15~60天，三胆阴性10~20天，肝功正常15~30天。

【出处】 天津市立中医医院（《中医名方汇编》）。

【主治】 传染性肝炎。

【方药】 茵陈四苓汤：茵陈一两　白术五钱　云苓五钱　猪苓四钱　泽泻八钱

【用法】 水300毫升，煎至150毫升，分二次服。

【出处】 西宁中医院马海如（《中医验方汇编》）。

【主治】 传染性肝炎。

【方药】 ①急性黄疸期：茵陈蒿汤、栀子柏皮汤、茵陈五苓散、胃苓汤等；有高热加甘露消毒丹。

②肝脾肿大者：化坚丸、青蒿鳖甲汤、柴胡桂枝汤为主。

③消化功能障碍者：八正散、温胆汤、胃苓汤。

④肝功能不良者：化坚丸、温胆汤加健胃药。

【提示】 本方退黄快，使肝脾缩小快。共治93例，效果达97.7%。

【出处】 中医研究院（《中医名方汇编》）。

【主治】 传染性肝炎。

【方药】 茵陈苡米汤：茵陈三钱　苡米六钱　红枣五个　广皮二钱　猪苓二钱　茯苓二钱　佛手二钱　冰糖一两

【用法】 小孩1~3岁每日分3~4次；成人加1/3量。

【提示】 使用此方如呕吐，则加叩谷、合香；腹部膨胀，则加厚朴、大腹皮；发烧，则加连翘、黄芩；腹泻，则加车前子、泽泻；咳嗽，则加竹茹、贝母、荆芥；肝大久不消，则加何首乌、当归、白芍、青皮、鳖甲、柴胡。

【出处】 芜湖专署医院中医科张必烈（《中医名方汇编》）。

【主治】 肝炎急性期之黄疸前期、黄疸期。

【方药】 茵陈蒿　山栀　黄柏　麦芽　神曲　针炒枯矾

【用法】 1~3岁日三次，每次三至五分；3岁以上日三次，每次六至十分。均饭后服，3~7天内见显效。

【出处】 江苏省中医院（《中医名方汇编》）。

【主治】 小儿传染性肝炎。

【方药】 按年龄剂量不同如下。

药名	1~4岁	5~7岁	8~14岁
粉丹皮	二钱	二钱半	三钱
茵陈	四钱	四钱半	五钱
栀子	二钱	二钱	三钱
龙胆草	一钱	一钱半	二钱
败酱花	三钱	三钱半	四钱

忍冬花	三钱	三钱半	四钱
川　军	五分	五分	七分
枳　实	五分	五分	五分
甘　草	一钱半	一钱半	二钱
郁　金	五分	五分	五分

【用法】 水煎服，治疗率达100%。

【出处】 济南铁路中心医院（《中医名方汇编》）。

【主治】 传染性肝炎

【方药】 粉丹皮二钱　龙胆草一钱　茵陈四钱　枳实五分　栀子二钱　败酱草三钱　银花三钱　大黄五分　郁金二钱　甘草一钱半

【用法】 水煎服。

【提示】 成人剂量，小儿酌减。

【禁忌】 孕妇忌服。忌食脂肪及刺激性食品。

【出处】 西宁铁路医院苏云（《中医验方汇编》）。

【主治】 传染性肝炎（阳黄）。

【方药】 茵陈五钱　山栀二钱　郁金三钱　白术三钱　茯苓五钱　泽泻三钱　黄柏三钱　猪苓三钱　大黄一钱半　鸡内金二钱

【用法】 水煎服，一日二次。

【禁忌】 孕妇忌服。

【出处】 西宁中医院章承启（《中医验方汇编》）。

【主治】 传染性肝炎。

【方药】 茵陈六钱　生栀子二钱　赤苓三钱　竹叶一钱　灯

心一钱　郁金四钱　猪苓三钱　金银花三钱　白薇二钱　炙草三钱

【用法】水煎服。

【提示】成人剂量，小儿酌减。

【禁忌】孕妇忌服。

【出处】西宁中医院（《中医验方汇编》）。

【主治】传染性肝炎。

【方药】龙胆草二钱　柴胡四钱　泽泻二钱　车前子三钱　木通一钱半　生地二钱　当归三钱　栀子二钱　黄芩二钱　茵陈五钱　粉丹皮二钱　生甘草一钱半

【用法】水煎服。

【禁忌】孕妇忌服。

【出处】熊长焱（《中医验方汇编》）。

二、慢性肝炎

根据病因不同，可以将慢性肝炎分为：慢性乙型肝炎、慢性丙型肝炎、自身免疫性肝炎、慢性酒精性肝病、药物性肝损害。依据病情轻重，可将慢性肝炎分为轻、中、重度以及慢性重度肝炎。慢性肝炎如不积极治疗，很可能转变为肝硬化。中医中药在治疗肝硬化方面，有不错的疗效。

【主治】 慢性肝炎。

【方药】 黄郁金四钱半　枳实四钱半　牛胆素五分

【用法】 制成舒肝散片，每片一分，每次5~7片，每日三次，饭后服。并服辅助剂：金铃子、延胡索、赤芍、天仙屯、香附、鸡内金（水煎日服二次）。疗程50天。

【出处】 浙江省中医药研究所（《中医名方汇编》）。

【主治】 慢性肝炎。

【方药】 茵陈八钱　生栀子三钱　猪苓三钱　泽泻三钱　金银花三钱　枳壳三钱　木香二钱

【用法】 水煎服。

【提示】 成人剂量。

【出处】 西宁中医院张险涛（《中医验方汇编》）。

三、肝脓肿

肝脓肿是由细菌、真菌或溶组织阿米巴原虫等多种微生物引起的肝脏化脓性病变，主要表现有发热、肝区持续性疼痛，并随深呼吸及体位移动而剧增。肝脏多有肿大，部分病人可出现黄疸。本病需要积极治疗。

【主治】 肝脓肿。

【方药】 元召三钱　当归四钱　赤小豆四钱

【用法】 水煎，饭后服。

【出处】 江西赣县（《中医名方汇编》）。

【主治】 肝脓肿。

【方药】 生杭芍三钱　当归二钱　栀炭一钱　金银花一两　甘草一钱

【用法】 用水400毫升，煎至200毫升，热服。

【出处】 江西东乡（《中医名方汇编》）。

四、肝硬化

肝硬化是临床常见的慢性进行性肝病，由一种或多种病因长期或反复作用而造成弥漫性肝损害。在我国，大多数肝硬化为肝炎后肝硬化，少部分为酒精性肝硬化和血吸虫性肝硬化。

肝硬化对人体存在进行性损伤，早期由于肝脏代偿功能较强可无明显症状，后期则以肝功能损害和门脉高压为主要表现，晚期常出现上消化道出血、肝性脑病、腹水、癌变等并发症。

【主治】 肝硬变，蛊症、大肚子病。

【方药】 大黄三两　蜈蚣三十条　鸡蛋十个

【用法】 将鸡蛋打入盆内，把二药末投入搅匀，放置锅内蒸熟，趁热为丸，如黄豆大小丸，每服五丸，白水送下，一日二次。孕妇忌服。

【出处】 王玉书（《吉林省中医验方秘方汇编》第三辑）。

【主治】 痞块。

【方药】 芹菜　大蒜　银朱各等分

【制法】 同捣烂。

【用法】 涂脐上，用油纸盖好，枯后再换，连治半月即可根除。

【出处】 公安县（《湖北验方集锦》第一集）。

【主治】 肝硬变，干血痨。

【方药】 加减䗪虫丸：大黄二两五钱 土虫一两 黄芩二两 桃仁四两 杏仁四两 赤芍二两 虻虫一两五钱 干漆（煅）一两 生地一斤 水蛭一百个 蛴螬一百个 甘草三两

【用法】 共为细面，蜜小丸如黄豆大，每服五丸，开白水送下。

【禁忌】 孕妇禁服。

【出处】 榆树县曹瑛（《吉林省中医验方秘方汇编》第三辑）。

【主治】 单腹蛊胀。

【方药】 大腹毛三钱 云苓三钱 川朴三钱 木香三钱 莱菔子二钱 葶苈子二钱 甘遂二钱 前仁四钱 蜀椒一钱 芥子一钱五分

【制法】 水煎。

【作用】 早晚分服。

【出处】 监利县（《湖北验方集锦》第一集）。

五、肝硬化腹水

肝硬化腹水是一种慢性肝病，因肝细胞变性，坏死、再生，再生、坏死，促使组织纤维增生和瘢痕收缩，导致肝质变硬，形成肝硬化。肝硬化导致肝功能减退，引起门静脉高压，形成了腹水。

【主治】 肝硬化腹水，肿胀。

【方药】 土知母（草药，鲜的更好，没有鲜的用温水发胀干的也可以）二两

【用法】 剁细调鸡蛋煎服，不用盐。

【出处】 江津县人民医院（《四川省中医秘方验方》）。

【主治】 水臌。

【方药】 一枝花五钱

【用法】 和鸡蛋一个同煎炒后，开水泡服

【出处】 福州市王春俤（《福建省中医验方》第二集）。

【主治】 腹水膨胀。

【方药】 年久葫芦

【制法】 将葫芦挖取一小孔，去蒂留穰，入好酒，再将

原孔盖紧以布帛缚之，隔汤煮三四沸。

【用法】 取葫芦内酒饮之。

【提示】 或吐或利，立效。

【出处】 福州市黄永吉（《福建省中医验方》第二集）。

【主治】 腹水膨胀。

【方药】 白曲丸四两

【用法】 炖酒饮，渣可擦洗或敷脐部。二三服有效。

【出处】 福州市僧神英（《福建省中医验方》第二集）。

【主治】 腹水膨胀。

【方药】 旱草菰二两（干者四钱）

【用法】 水酒适量，炖服。

【提示】 腹水有效。

【出处】 福州市唐宝星（《福建省中医验方》第二集）。

【主治】 肝硬化腹水。

【方药】 芫花根白皮。

【制法】 采鲜芫花根，去粗皮，用白皮，烘干，研细末。

【用法】 每次服三至四分，候泻下水液，再用其他方剂调理。

【治验】 漆某某，男，住南昌市右营街3号，省建筑公司木工，患腹部胀大，两足及面目皆肿，经省建医院确诊为肝硬化腹水，经服本方数次，再用黄肿丸辅助治疗而愈。

【提示】 芫花泻水，古人记载很多，但芫花据古人仅用以敷疮毒鱼，万同志用芫花根白皮泻水取效，进一步发挥了本药的作用。又芫花有泻水，一般有恶心，呕吐，腹痛等反应，停药后，这些反应都可消失，一般不必处理，反应较重，或体虚者，可酌服香砂六君子丸等调理。

【出处】 南昌市万杨水（《锦方实验录》）。

【主治】 肝硬化，食道静脉曲张破裂出血。

【方药】 紫珠草（又名贼仔草、创伤草），产于福建闽南一带，属马鞭草科

【用法】 饮片剂：每剂6gm，每日6~10gm。

粉剂：每次量1~5gm，每日6~10gm。

片剂：每次2~10片，每日12~20片。

脓缩丸：每日3次，每次8丸（药量少效力大，便带。先采鲜叶洗净捣烂，和水熬纯三次滤去其渣，将汤另行熬叶成膏适量配合粉剂而成丸）。

【治验】 共治7例（均为多方治疗无效而来院者），药后均即刻止血。并能治溃疡病出血及鼻衄。

【出处】 厦门市中医院（《中医名方汇编》）。

【主治】 腹水。

【方药】 水黄花三钱

【制法】 加水煎汤。

【用法】 内服，如下泻过烈，可用冷粥内服止泻。

【出处】 唐青云（《贵州民间方药集》增订本）。

【主治】 臌胀。

【方药】 白鸡冠花（连根）

【用法】 煎汤服之。

【出处】 长药县林冠人（《福建省中医验方》第二集）。

【主治】 水臌验方。

【方药】 蝼蛄七个

【制法】 用新瓦焙黄为细面，分七包。

【用法】 每付一包，黄酒冲服。

【出处】 张专涿鹿县杨隐之（《十万金方》第一辑）。

【主治】 水气臌胀。

【方药】 男用公牛粪，女用母牛粪，砂锅炒黄。

【加减】 病重者加车前子三钱。

【用法】 煎汤服下，每日三次，每次三钱，黄酒二盅烧酒一盅送下。

【出处】 枣强县韩文章（《十万金方》第十辑）。

【主治】 臌胀。

【方药】 陈葫芦瓢四两

【制法】 水煎。

【用法】 顿服，日服二三次。

【出处】 孝感专署（《湖北验方集锦》第一集）。

【主治】 腹胀水臌。

【方药】 蝼蛄

【用法】 焙黄为末，每服二钱。

【治验】 本村童国斌之母连服十余枚而愈。

【出处】 解村赵树德（《祁州中医验方集锦》第一辑）。

【主治】 腹水。

【方药】 甘遂一两

【制法】 用甘草一两泡水，浸透甘遂（夏浸一日夜，冬浸三日夜），换水二次，取出甘遂晒干，用猪肝包裹，外用湿泥封固成团，置火中煨枯，去泥肝，取甘遂碾细末，米糊为丸。

【用法】 成人每日清晨空腹服五分至一钱（指甘遂量）。

【禁忌】 体制极衰者慎用或少服。禁盐三至四月。

【出处】 沔阳县（《湖北验方集锦》第一集）。

【主治】 腹水。

【方药】 二丑微炒

【制法】 碾末，水泛为丸（用药末亦可）。

【用法】 每日服二次，每次三至四钱，以腹水消失为度。

【出处】 沔阳县（《湖北验方集锦》第一集）。

【主治】 气蛊、水蛊（肚腹肿胀）。

【方药】 甘遂四钱 大枣十二个

【制法】 大枣去核，将甘遂填入枣内，炭火上焙干，共为细面，水丸如绿豆大。

【用法】 每服三钱，开水送下（服后有泻下反应）。

【禁忌】 身体弱者，宜减量用，身体太弱者禁服。

【出处】 商专李道应（《河南省中医秘方验方汇编》续二）。

【主治】 水臌。

【方药】 活鲤点一条　赤小豆四两

【用法】 将赤小豆熬汤，去豆以汤煮鲤鱼，饮其汤。数日后，将渐觉水行臌消，再以四君子汤、金匮肾气丸调理收功。

【出处】 福州市刘友梁（《福建省中医验方》第二集）。

【主治】 水臌。

【方药】 牛托鼻草头二两　目鱼（乌贼鱼）一条

【用法】 炖水服，即通大便。

【出处】 福州市王春俤（《福建省中医验方》第二集）。

【主治】 水臌。

【方药】 石蒜三粒（小儿减半）　草麻子十二粒（九岁以下用七粒）

【用法】 捣敷足心，三日一敷，小便即利，连敷七日。

【提示】 主治阴水小便不利。

【出处】 福清县中医学会（《福建省中医验方》第二集）。

【主治】 水臌。

【方药】 牛托鼻草一两　油麻稿二两

【用法】 熬红糖口服，可利小便。

【出处】 福州市王春俤（《福建省中医验方》第二集）。

【主治】 腹水。

【方药】 赤小豆三升 白茅根一把

【用法】 水煎，食豆和汤，以消为度。

【提示】 治水臌腹大，动摇有声，皮肤黑者。

【出处】 福清县中医学会（《福建省中医验方》第二集）。

【主治】 腹水膨胀。

【方药】 红豆 鲤鱼

【用法】 红豆蒸鲤鱼，取鱼汁饮之。

【出处】 福州市龚伯沣（《福建省中医验方》第二集）。

【主治】 腹水膨胀。

【方药】 干油麻梗一两 旧葫芦匏皮五钱

【用法】 水煎服。

【提示】 忌盐类。

【出处】 福州市唐宝星（《福建省中医验方》第二集）。

【主治】 大腹水臌胀满，大小便秘者。

【方药】 红芽大戟二两 大红枣一斤

【用法】 上二味，用水熬一日一夜，去大戟不要，取红枣晒干。视患者体质病情，分三天或五天吃完。

【提示】 本方出洁古《活法机要》。

【出处】 零陵县中医李德鸿（《湖南省中医单方验方》第二辑）。

【主治】 腹水。

【方药】 金婴子兜　清明子兜各一握，多少不拘

【用法】 煎两次，先后分服（忌食盐）。

【出处】 蔡细根（《崇仁县中医座谈录》第一辑）。

【主治】 专利腹水，治膨胀病。

【方药】 水黄花（草茴如）一钱八分　蜂蜜一两

【制法】 将水黄花去心捣烂，与蜂蜜调合，加开水一小碗混匀。

【用法】 重病服用水黄花一钱八分，轻症则服一半，一次服完。服后均应同服维他命 E1，每日两次。

【禁忌】 服药时停止食盐一星期。

【出处】 郭伟瞻（《贵州民间方药集》增订本）。

【主治】 腹水。

【方药】 水黄花根皮五分　甜酒一两

【制法】 根皮加甜酒煮。

【用法】 内服。

【出处】 潘树恒（《贵州民间方药集》增订本）。

【主治】 臌胀。

【方药】 甘遂三钱　面粉二两

【用法】 和为面条，一次服。

【出处】 福清县郑万龙（《福建省中医验方》第二集）。

【主治】 水臌，气臌，血臌（腹大坚硬）。

【方药】 青蛙四个去肠杂瓦上炙焦　巴豆二十个，用死火煨黄色去皮

【制法】 共为细末，分作四包。

【用法】 每次服一包，黄酒送下，每四天服一次。

【禁忌】 忌生冷、大荤、油盐酱醋一百天。

【出处】 商专付翔久（《河南省中医秘方验方汇编》续二）。

【主治】 臌胀。

【方药】 莱菔（醋炒）　天台乌各等分

【用法】 共研细末，淡姜汤送服，每次六钱。

【加减】 四肢浮肿，加怀牛膝五分，朱砂（飞）五分，木瓜三五钱。

【出处】 大通中医进修班张永顺（《中医验方汇编》）。

【主治】 利腹水，治水臌病。

【方药】 透骨香五钱　车前草五钱

【制法】 加水两小碗，煎汤一小碗。

【用法】 内服。

【出处】 王金安（《贵州民间方药集》增订本）。

【主治】 腹水肿。

【方名】 甘遂枣方

【方药】 甘遂三钱　大红枣三两

【制法】 以上二种放药锅内，加清水浸过，煎至水尽为度去甘遂。

【用法】 每日早午晚，三次服药枣每次二枚，以大小便通利为限，如不利再加服一枚。宜忌食盐一百天，孕妇忌服。

【治验】 头堡村刘某儿媳，21 岁，患腹水肿三月之久，不能转侧行动，脉沉细，令服甘遂枣，一服大效二服全愈。

【出处】 涿鹿县李春和（《十万金方》第二辑）。

【主治】 水臌。

【方药】 商陆三钱为末　荞麦面四两

【制法】 二味以水合作六个饼，水煮。

【用法】 每次热服二个。

【出处】 怀安县张万钟（《十万金方》第三辑）。

【主治】 腹水。

【方药】 生黑白丑（轧细）

【制法】 用头次末，每服三钱，用大麦面和匀烙成小饼。

【用法】 茶水送下。

【出处】 晋县中医进修学校（《十万金方》第三辑）。

【主治】 腹胀如鼓，肢体浮肿。

【方药】 鸽子粪二两　醋半斤

【制法】 铜勺内将鸽粪醋同炒黄，研为细末。

【用法】 每服一至二钱，黄酒四两冲服。

【治验】 效果甚好。

【出处】 沽源县（《十万金方》第一辑）。

【主治】 水膨胀。

【方药】 芫花（醋炒）三钱 蝼蛄（拉拉蛄）七个焙干

【制法】 共为细末，面糊为丸，分七粒。

【用法】 每日服一粒，白水送下，七日后药服完病愈。

【出处】 博野县姜吉昌（《十万金方》第十辑）。

【主治】 水臌。

【方名】 水臌验方

【方药】 青蛙（全彩蛤蟆）一只 甘遂一钱

【制法】 将甘遂塞入青蛙口内，再用黄土泥包好，放柴火内烧干去泥研末黄酒送下。

【用法】 研成末后黄酒送下，空心服用，不见盐，用量分作二三次服用。若治气臌用砂仁五至七个，同上制法与用法，每次服一个。

【出处】 阜平县慈玉山（《十万金方》第十辑）。

【主治】 臌症。

【方药】 活蛤蟆一个 广砂仁三钱

【用法】 将砂仁送入蛤蟆腹内，用火熨干，分三次服，服完即消。

【出处】 北都门诊部宋宝三（《祁州中医验方集锦》第一辑）。

【主治】 臌胀。

【方药】 商陆 葱白各三钱

【制法】 捣烂成泥。

【用法】 贴脐上，用绷带缚定，其水从小便中出，而胀自愈。

【出处】 襄樊市（《湖北验方集锦》第一集）。

【主治】 臌胀。

【方药】 西瓜一个 大蒜头

【用法】 将西瓜切去盖，尽量纳入蒜头，仍将盖复上，用坛头泥包糊，置炭火中，炙之候泥燥，去盖取水，内服。

【提示】《内经》谓：诸腹胀大，皆属于热；诸腹肿满，皆属于湿。本方用西瓜清热，大蒜温中，以达升清降浊的利尿作用。

【出处】 江山县毛文善（《浙江中医秘方验方集》第一辑）。

【主治】 单腹胀。

【方药】 猪肚子八两 大蒜子四两

【用法】 将上药用水一碗半，煮成二分之一，取出汁液，分两次服下，每隔四小时服一次。

【出处】 施古和（《崇仁县中医座谈录》第一辑）。

【主治】 水臌。

【方药】 鲜地棉根二两 红枣肉五钱 白矾一钱

【用法】 研末，炼蜜为丸，如绿豆大。每次服一钱五分，开水送下。二小时后即泻，如大泻不止，可饮秫米粥解之，以止泻。

【出处】 福州市王春俤（《福建省中医验方》第二集）。

【主治】 腹水。

【方药】 千根竹五钱　防风三钱　商陆六钱

【用法】 水煎服。

【提示】 治阴水尿少，肾囊肿大。

【提示】 千根竹，又名金干真。

【出处】 福清县中医学会（《福建省中医验方》第二集）。

【主治】 腹水。

【方药】 野花生梗根　小雄鸡一头　红酒三砙

【用法】 雄鸡宰好，去头、足、毛及肚杂，将药装入鸡腹，炖烂，去药渣滓，分五六次食完。

【出处】 长药县林冠人（《福建省中医验方》第二集）。

【主治】 腹水膨胀。

【方药】 生牛犅鼻头二两　肉桂三分　明矾二分

【用法】 煎汤服。

【提示】 生牛犅鼻头或称牛托鼻，另名地枇杷，学名地胆草。

【出处】 福州市陈师永（《福建省中医验方》第二集）。

【主治】 腹水膨胀。

【方药】 羊角藤根（土名鲤鱼橄榄）一两五钱　车前草五株　地棉根七钱

【用法】 水煎，饭前顿服，约二剂可效。得效后再服一至二剂可愈。

【提示】 如未见效，可服一枝花一两，加车前七株，地棉根七钱，一二次可痊。并以白油麻稿一两，土茯苓五钱，水煎代茶。唯此症遇腹部有剪样青筋出现（即有二条V状青筋），此药则无效。

【出处】 福州市李云祺（《福建省中医验方》第二集）。

【主治】 腹水臌胀，半身以下肿者。

【方药】 虾蟆七只　大蒜子四十九粒　猪肚一个

【用法】 将虾蟆去头足，和大蒜子纳入猪肚内蒸熟，去蒜及虾蟆，取肚和汤服。

【出处】 湘阴县中医（《湖南省中医单方验方》第一辑）。

【主治】 腹满臌胀。

【方药】 大麦秆二两　乌豇豆二合　荸荠四两

【用法】 煮食。

【出处】 衡南县人民医院吴训之（《湖南省中医单方验方》第二辑）。

【主治】 晚期大腹血蛊惑、水蛊，肝脾肿大。

【方药】 生全土鳖七只　白砂糖八钱　甜水酒一茶钟

【用法】 先以土鳖一个个次第吞下，旋服白糖和甜酒，以十五至二十天为一疗程，如未全消，可续服。

【治验】 曾治湘潭县石鼓乡招鹤坪方赵氏，产后患腹肿如鼓，脚肿亦剧，无钱服药，单用此方治好，现年四十，数年未病。此方对陈久跌打损伤，时常发痛者，疗效甚好。

【出处】 湘潭县人民医院中医赵志壮（《湖南省中医单方验方》第二辑）。

【主治】 肝脾肿大。
【方药】 消痞丸：三棱三两　莪术三两　鳖甲（炙）五钱
【用法】 共研细末，以水为丸，如梧桐子大。每次三十丸，一日三次，饭前开水送服。
【禁忌】 孕妇忌服。
【出处】 西宁中医院马海如（《中医验方汇编》）。

【主治】 水臌。
【方药】 黑白丑（半生半熟）一两　甘遂四钱
【制法】 以上二味共为细面，分五包。
【用法】 空心黄酒为引，送下每次一包。
【禁忌】 盐、酱、碱一百天，严禁房事.
【提示】 证明水臌法：小便肿，唇黑者皆是此症，服此方立效。
【出处】 涿鹿县马耀庭（《十万金方》第一辑）。

【主治】 水臌。
【方药】 甘遂五分　干姜三分　土狗（蝼蛄）（焙黄研末）一个
【制法】 共研细。
【用法】 白水送下。
【出处】 晋县靳瑛桥（《十万金方》第十辑）。

【主治】 腹胀如鼓、小便涩之水臌症。

【方药】 蝼蛄三个　砂仁三粒　甘遂（面煨）二钱

【制法】 上药共为细末，装入青罐品内，用阴瓦焙干，再研细末。

【用法】 上量分二次服，每日一次，开水送服。

【治验】 服后大小便增多，别无反应，腹胀消退，本方治愈十多人。

【出处】 保定市许国瑞（《十万金方》第十辑）。

【主治】 臌症。

【方药】 疥蛤蟆一个　砂仁适量　蝼蛄两个

【用法】 将砂仁装在疥蛤蟆肚内，焙干为末，另且蝼蛄两个为末合在一处，每服二钱，服完即愈。

【出处】 东城村刘西荣（《祁州中医验方集锦》第一辑）。

【主治】 腹臌。

【方药】 绿豆芽半斤　白扁豆二两　蝼蛄二个

【制法】 捣泥，用白布滤汁。

【用法】 一次服完。

【出处】 范鸿（《河南省中医秘方验方汇编》）。

【主治】 气臌水胀。

【方药】 真正白桑树根皮（里面净白皮）晒干为末五两　巴豆仁九个去油　荞麦面五两

【制法】 用新砖两个烧热，将巴豆用纸包住，放砖内压之，取净油，再将桑白皮荞面炒黄，用罗过后共为细末。

【用法】 早晚二钱，开水冲服，服后大便微泻，即小便大利而愈，后服肾气丸调理。

【禁忌】 猪肉、猪油、盐酱、房事百日。

【出处】 西安市中医学习班薛忠立（《中医验方秘方汇集》）。

【主治】 臌胀。

【方药】 大麦秆二两　大红豆二合　荸荠四两

【用法】 煮食，连用七日，每日一剂。

【出处】 孝感专署（《湖北验方集锦》第一集）。

【主治】 臌胀。

【方药】 雄猪肚一个　大茴香一两　陈葫芦（烧炭）三钱

【制法】 将葫芦炭、大茴香放入肚内，用食盐少许煨熟。

【用法】 适量食。

【出处】 孝感专署（《湖北验方集锦》第一集）。

【主治】 水臌。

【方药】 二丑各二钱　甘遂二钱　肉桂三分

【制法】 将甘遂用面包住煨，合二味为细末。

【用法】 车前子一两白布包，水煎过滤冲服上药二钱，隔日一次，连服三次后，改服五苓散及六君子汤。

【禁忌】 食盐。

【出处】 白士美（《河南省中医秘方验方汇编》）。

【主治】 臌症。

【方药】 郁李仁一两　甘遂二钱　青粉三分

【制法】 共为细面，白面一两，合作饼烙熟，分四次。

【用法】 每天服一次，空心服下。

【治验】 城内张某某，女，患臌症多年，一服即愈。

【出处】 安国城关镇医院陈殿卿（《祁州中医验方集锦》第一辑）。

【主治】 腹水。

【方药】 苦参二斤　黑丑一斤　白丑三斤

【制法】 上药以水六斤，煎取浓汗三斤，去渣，再加适量白蜜收制成膏。

【用法】 每日服三次，每次服一两，饭前开水少许送下。

【提示】 服后有点作泻。禁食盐。

【出处】 监利县（《湖北验方集锦》第一集）。

【主治】 腹水。

【方药】 明雄　甘遂　元寸酌量

【制法】 共研细末，用田螺水调。

【用法】 敷肚脐上。

【出处】 公安县（《湖北验方集锦》第一集）。

【主治】 肝硬化，腹水肿胀。

【方药】 凤凰衣（抱过小鸡的蛋壳）　蛇蜕　蛤壳　漆壳各等分　烘干为细末。

【用法】 用何首乌二两煎水炖服，继以甜酒送服。以上药末，每日三次，每次服五分。

【治验】 璧山县人民医院曾用本方治疗了一例梅毒性肝硬化腹水，获得了显著效果。

【出处】 璧山县人民医院（《四川省中医秘方验方》）。

【主治】 腹水膨胀。

【方药】 生螺丕草五钱 白油麻三钱 车前草三钱 白釉丸三钱

【用法】 用老酒同杵为饼，放碗内炖熟，贴脐中。

【出处】 福州市陈师永（《福建省中医验方》第二集）。

【主治】 腹水膨胀。

【方药】 螺丕草一束 咸酸草一束 羊粪（不落地）二十一粒 蒜瓣二十一瓣

【用法】 用高粱酒调捣为饼，炖熟，盖在脐上，小便即大利，肿可消。

【提示】 此药盖上一点钟，鼻觉有气味，小便即利。

【出处】 福州市郑振春（《福建省中医验方》第二集）。

【主治】 腹水膨胀。

【方药】 鲜金樱根去粗皮，二两 六角仙五钱 马鞭草二钱 小香菰七枚

【用法】 炖开水服。

【提示】 利小便。

【出处】 福州市郑大哥（《福建省中医验方》第二集）。

【主治】 血臌（腹大、紫筋、腹上有红点红纹）。

【方药】 桃仁八钱　大黄五分　䗪虫三个　甘遂五分，八分（本方须经中医诊断许可后方可服用）

【制法】 共为末水煎。

【用法】 水煎内服。

【出处】 禹县冀家仁（《河南省中医秘方验方汇编》续一）。

【主治】 水臌。

【方药】 巴豆皮一钱　甘遂二钱　广木香一钱　二丑二钱

【制法】 先将甘遂用甘草水泡过一日夜，取出晒干，与三味药共为细末，水泛为丸如绿豆大。

【用法】 每服八至九丸，服后数小时内必发下利，以利下三次为度，如不下利，可再少量服之。

【出处】 商专郝瑞久（《河南省中医秘方验方汇编》续二）。

【主治】 腹肿如臌，四肢肿不能曲，动则喘气饮食困难。

【方药】 甘遂五钱　大吉四钱　二丑四钱共研面　猪腰子一对

【用法】 将腰剖开，放入药面，外用菜叶裹好烧熟分数次吃。

【禁忌】 吃后忌食盐物，如肿未全消，如法再吃以肿消为止，孕妇禁服。

【出处】 邹焕然（《中医采风录》第一集）。

【主治】 臌胀。

【方药】 白花风不动二两　苦刺头二两　土牛膝头二两　田豆

【用法】 炖汤服。

【提示】 如不泻，可加番泻叶或大黄服之。

【出处】 福州市郭观良（《福建省中医验方》第二集）。

【主治】 臌胀。

【方药】 生香附子根半斤　醋四两　麝香六厘　童便七两

【制法】 先将生香附子根捣烂，加入醋和童便，放入锅内加热，候冷后入麝香搅匀，披油纸上。

【用法】 贴脐部约三十分钟，腹内即有水响声，六小时后即有水样便。每日应食番薯与目鱼汤，或番薯煮米饭；每日三餐，不要过饱。

【禁忌】 应禁食盐半个月。

【出处】 建瓯县刘成武（《福建省中医验方》第二集）。

【主治】 水臌。

【方药】 甘遂七钱　西茴七钱　二丑三钱五分　丝瓜子三钱五分

【制法】 共为细末，面和为丸，分作七付。

【用法】 每日服一付，开水送下，连服七日。

【禁忌】 食盐一百天。

【出处】 商专刘继堂（《河南省中医秘方验方汇编》续二）。

【主治】 臌病（腹胀如鼓）。

【方药】 商陆二钱　神曲二钱炒　甘遂二钱面炒　巴豆二个去油

【制法】 上药共为细末，分作四包。

【用法】 每服一包，开水送下，隔日服一次。

【出处】 商专李华英（《河南省中医秘方验方汇编》续二）。

【主治】 腹水肿胀。

【方药】 鲤鱼一条（十二两左右）

【制法】 去鳞肠等物，再用大蒜七瓣，松罗茶五分，皂矾五分，置于鱼腹内，将鱼腹缝好，水熟。

【用法】 食鱼肉，连食五次，忌盐。

【治验】 宁晋县邵亮庄，解仁昌之妻60岁，于1956年患腹水症，用此方治愈。

【出处】 宁晋县薛鸿瑞（《十万金方》第一辑）。

【主治】 五种臌症，腹水，下肢浮肿，肝脾肿大等症。

【方名】 臌症丸

【方药】 甘遂六两　广木香一两　枯芩一两　砂仁一两

【制法】 共为末，水丸，滑石为衣，如梧桐子大。

【用法】 5~6岁服五至八分，10岁以上服一钱至一钱半，20~30岁体壮者用二钱渐加重到三钱不可再多，如体弱者可以渐加至三钱。早晨空心白开水服一次，每隔3、5、7天服药一次。

【出处】 张家口市崔永（《十万金方》第十辑）。

【主治】 腹臌。

【方药】 商陆二钱 田螺十个 独蒜一个 元寸五厘

【制法】 捣烂如泥。

【用法】 敷脐上，用白布束之。

【提示】 时间不可过长，否则起泡。

【出处】 李春芳（《河南省中医秘方验方汇编》）。

【主治】 臌胀病。

【方药】 大独蒜四两 槟榔四钱 砂仁三钱 莱菔子四钱

【用法】 将药装在猪肚子内炖服。

【出处】 仁寿县卫协会（《四川省医方采风录》第一辑）。

【主治】 腹水，肿胀，血吸虫病。

【方药】 生姜四两 生葱四两 红糖四两 炒二丑八两。为末

【制法】 合匀，饭上蒸化为丸。

【用法】 早晚各服一次，每次服三钱，糖水送下。

【出处】 沔阳县（《湖北验方集锦》第一集）。

【主治】 腹满如石，阴囊肿大。

【方药】 大戟五分 芫花五分 甘遂五分 海藻五分

【制法】 共为细末，用醋合灰面调之。

【用法】 敷肚脐处，用帛裹扎，其肿自消。

【出处】 公安县（《湖北验方集锦》第一集）。

【主治】 腹水。

【方药】 螺靥草一撮　一盆雪（又名十八缺及肺风草）一撮　咸酸草一撮　牛皮烟三钱　元明粉三钱

【用法】 捣匀，放瓦上焙七次，用酒三两，随焙随喷，反复使其热透，敷腹部。俟腹平时，可再加螢罅草一撮，如腹现青筋，可先用醋洗后敷上。

【出处】 福清县陈远麟（《福建省中医验方》第二集）。

【主治】 腹水臌胀，症实者。

【方药】 芫花一钱半　大戟一钱半　甘遂一钱半　黑丑二钱　木瓜三钱

【用法】 研末，蜜丸，作五六次用肉汤吞服。

【出处】 湘阴县中医（《湖南省中医单方验方》第一辑）。

【主治】 肝硬化。

【治则】 伴腹水的肝硬化，祖国医学称“单腹胀”。其主要治疗原则为健运扶脾、淡渗利湿，本组均以此原则以五苓散、五皮饮二方为主，结合全身随时加减。

【方药】 ①五苓散：猪苓　茯苓　肉桂　泽泻　白术

②五皮饮：茯苓皮　大腹皮　冬瓜皮　陈皮　生姜皮

【加减】 ①理气行水：厚朴　茵陈　鸡内金　香附　丑牛粉

②行血逐瘀：桃仁　红花　郁李仁　郁金　鳖甲　茜草

③湿脾固正：党参　黄芪　附片　干姜

④疏肝解热：柴胡　青蒿　黄芩　茅根

【出处】 重庆市第一中医院（《中医名方汇编》）。

【主治】 肝脾肿大。

【方药】 一甲煎：鳖甲（炙）一两　三棱五钱　莪术五钱　香附五钱　白芍六钱

【用法】 入水500毫升，煎至300毫升，每次服100毫升。一日三次，饭前服。

【禁忌】 孕妇忌服。

【出处】 西宁中医院马海如（《中医验方汇编》）。

【主治】 腹水。

【方药】 商陆一钱半　泽泻三钱　连壳二钱　猪苓三钱　炙桑皮三钱

【用法】 水煎温服。

【禁忌】 盐。

【出处】 孙林卿（《大荔县中医验方采风录》）。

【主治】 水臌日久，至一年者。

【方药】 广木香三钱　大白四钱　甘遂三钱醋炒　上茄沉香二钱　大黄五钱

【制法】 共为细末。荞麦面一两，打糊为丸，分作三付。

【用法】 每服一付，冷开水送下（晚上服）连服三晚。

【禁忌】 猪鸡鱼肉。

【出处】 商专进修班（《河南省中医秘方验方汇编》续二）。

【主治】 膨症。

【方名】 膨症方

【方药】 土狗（蝼蛄）三个 红花二钱 甘遂一钱半 盔沉香一钱半 琥珀一钱

【制法】 以上共为细面。引用红糖、干醋各一盅送下。

【用法】 每日一次，每次各服三钱。

【治验】 服后大便如水，则效良好。

【出处】 丰宁县何文明（《十万金方》第十辑）。

【主治】 水臌。

【方名】 水臌专方

【方药】 芫花（醋炙） 广木香 生槟榔 车前子以上各二钱 再加猪腰子一个

【制法】 先将以上各药共研细末，再将猪腰子一个切成薄片，放一片腰子撒一层药末，顺次叠好用草纸五张包好，再用炭火烧之，烧一次用水浸湿一次，千万不要烧了纸，烧到两点钟后，等腰子成熟，可将上面的药面搽扫净，将药片腰子吃掉。

【治验】 河北省昌平县广区马创泉村一患者，12岁，职业农，经过两星期治疗后，痊愈。

【出处】 怀来县贵珠（《十万金方》第十辑）。

【主治】 臌症。

【方药】 甘遂二钱 广木香三钱 土狗五钱 葫芦巴五钱 炒荞麦面一两

【制法】 共为细面，煮酒为饼二十个焙干。

【用法】 每服一个，每日一次。

【反应】 服后泻。

【禁忌】 食盐。

【出处】 安国县郑章社医院张振亚（《祁州中医验方集锦》第一辑）。

【主治】 气肿、湿肿、水蛊、气胀。

【方药】 酒大黄八两 二丑四两 槟榔四两 三棱二两 莪术二两

【制法】 各味共研细末，面糊为丸如绿豆大。

【用法】 大人每服一钱半，小儿五分，若有食积加巴豆霜五钱。

【出处】 襄樊市（《湖北验方集锦》第一集）。

【主治】 气结于中，渐成臌胀。

【方药】 党参三钱 木瓜二钱 厚朴一钱 广皮一钱 降香八分

【用法】 水煎服。

【出处】 周岐隐（《浙江中医秘方验方集》第一辑）。

【主治】 肚大青筋，胀满如鼓，坚硬如石，脾脏肿大，痞满饱闷不舒，小溲不利，大便不正常等症。

【方药】 二丑五两 槟榔五两 大黄二两 芫荑一两 雷丸一两

【制法】 以上各药，共碾细末，用瓶装贮，勿使泄气。

【用法】 每日早晚服三至四钱，用木香汤吞服，服后须吃米粥以助药力；泻后则缓服，药量可减轻一半，日服一次即可。

【禁忌】 禁生冷、油荤、糖食、食盐、滞物等。

【出处】 公安县（《湖北验方集锦》第一集）。

【主治】 腹膨有水，大便脓血，腹有硬块。

【方药】 干蟾蜍五钱　巴豆霜二两　沉香三钱　广木香三钱　甘遂三钱

【制法】 共研细末，加入百草霜一两，苦荞粉四两拌匀，炼蜜为丸，如梧子大。

【用法】 每次吞四五粒。身体较强者可酌加至每次八粒，一天二至三次。

【禁忌】 服此药丸时，忌食盐（可用秋石代盐），忌与有甘草之剂同服。

【出处】 宜昌医专（《湖北验方集锦》第一集）。

【主治】 腹胀满有水，肝脾肿大，小便不通。

【方药】 甘遂三钱　大戟三钱　芫花三钱　海藻五钱　好醋四两

【制法】 上列四药，共研细末，与好醋调匀，再加一些灰面，调成半稀的稠糊状。

【用法】 摊于油纸或棉布上，敷贴腹胀之高处（当脐贴），用布裹住，敷好之后，令患者口嚼甘草汁咽下，一连嚼甘草多次（甘草五钱分几次嚼），腹水即下。

【禁忌】 禁吃食盐及酱油一百天（可用秋石代盐）。

【出处】 宜昌医专（《湖北验方集锦》第一集）。

【主治】 腹水。

【方药】 蒲银根二重皮（即芫花根）四两　枯矾二钱　朱砂三钱　肉桂一钱　红糖一两　红枣十枚

【用法】 共捣为丸，如豌豆大，每服三钱。

【提示】 蒲银根，即地棉根。

【出处】 福清县俞其馨（《福建省中医验方》第二集）。

【主治】 臌胀。

【方药】 菟丝子四两　车前子四两　槟榔四两　大蒜四钱　公猪肚一具　净蜂蜜四两

【用法】 将上药纳入肚内炖食。

【出处】 闽侯县陈秀春（《福建省中医验方》第二集）。

【主治】 水臌。

【方药】 槟榔六钱　香附四钱　商陆一钱　木香一钱　沉香一钱　甘遂一钱

【制法】 共为细末。

【用法】 每服三钱，白水调服，以泄水为度。

【禁忌】 服药后忌食盐。

【治验】 西栅魏明兴患此病，服此方痊愈。

【出处】 赤城县米生（《十万金方》第一辑）。

【主治】 五种臌症。

【方名】 五臌丸（祖传秘方）

【方药】 大戟三两　芫花（醋）三两　甘遂二两　黑丑一两半　白丑一两半　射干二钱

【制法】 共研为细面，未醋为丸，视患者体质强弱用药，最大剂量不得超过三钱。

【用法】 气用陈皮、桑皮煎汤送下，水用广木香煎汤送下，食用麦芽煎汤送下，血臌用榔片煎汤送下。

【出处】 定县窦汇川（《十万金方》第十辑）。

【主治】 水臌。

【方药】 广木香 沉香 牙皂 甘遂 萝卜子 葶苈子各四钱

【制法】 共为细末，以水为丸如丸豆大。

【用法】 每天空心服，每次十丸至十五丸，姜皮汤送下。

【提示】 以泄为度，酌病情强弱增减之，每服一次大便泄一次最好，服后有心烦。忌盐百日。

【出处】 郭书鼎（《河南省中医秘方验方汇编》）。

【主治】 肚腹胀大。

【方名】 消臌丹

【方药】 甘遂五分 芫花五分 乌药一钱 葶苈子一钱 车前子一钱半 商陆五分 三棱一钱 莪术一钱 皂角五分 槟榔一钱半 大戟五分 青皮一钱 陈皮一钱 续随子一钱 雷丸一钱半 广木香一钱半 大黄二钱 巴豆一钱

【制法及用法】 药共十八味，半生半熟为细末，醋和面作丸，每服二分，开水送下，每日空腹服一次。

【禁忌】 忌盐，猪油五十天，服药后肠间雷鸣，腹中微痛，少刻泄泻恶物黑粪，连服十天。

【治验】 ①上源村戴妇，四十几岁，患腹胀如臌，下肢浮肿，大便秘结不通，气喘促，不思食，面黄肌瘦，进服此方十五剂全愈，后服六君子汤和补中益气汤调理。

②王家边傅某，男，四十三岁，腹大如鼓，为时一年，服药无效，经用本方进服半月，腹鼓逐渐消除，以后未发，寿高六十三岁而终。

【出处】 资溪县高田乡枫林医药社石水清　抄录仝乡岐山村周辅囊医师秘方（《江西省中医验方秘方集》第三集）。

【主治】 脘痛下及于脐，旁及于胁，郁结成臌，可用景岳化肝煎。

【方药】 白芍　青皮　黑山栀　泽泻　丹皮　陈皮各二钱

【用法】 水煎服。

【出处】 张云山（《浙江中医秘方验方集》第一辑）。

【主治】 肚腹胀肿，小便不便。

【方药】 二丑　甘遂　商陆　砂仁　莱菔子　焦楂各三钱

【制法】 把上药共为细面，分成四包。

【用法】 日服两次，每次一包，早晚用白开水送下。

【治验】 柏凤花，女，住康保县，十二顷村，经月不调，肚腹肿胀，呼吸短促，饮食少进，病情严重，经治不效，后服此方痊愈。

【出处】 康保县陈鉴光（《十万金方》第六辑）。

【主治】 水臌。

【方药】 牛黄一分 葶苈六分 椒目三分 昆布五钱 海藻三钱 桂心七分 黑丑八分

【用法】 煎汤或为丸服。

【出处】 福清县俞其馨（《福建省中医验方》第二集）。

【主治】 腹水。

【方药】 千金子（即续随子）二两 枳实 白术 槟榔 茯苓 陈皮 香附各二钱

【用法】 共研末，每服一钱五分至二钱。早晨鸡鸣时，空心姜皮汤送下。

【提示】 服药愈后，需补养。

【出处】 福清县吴起樵（《福建省中医验方》第二集）。

【主治】 腹水膨胀。

【方药】 黑牵牛一两，取头，筛研细 砥石一钱六分 牙皂一钱六分 厚朴二钱 枳实二钱 花蕊石二钱 瓦楞子二钱，米醋泡煅化成灰

【用法】 研末，用糖胶和药末为丸，如桐子大。每次服二钱，米汤送下。一日一次。宜戒盐及咸物。

【提示】 砥石，即磨刀石。

【出处】 福州市龚伯沣（《福建省中医验方》第二集）。

【主治】 血臌（腹大、紫筋、腹上有红点红纹）。

【方药】 灵脂炒二钱 当归三钱 川芎二钱 桃仁二钱 丹皮二钱 赤芍二钱 乌药二钱 元胡一钱 甘草三钱 香附一钱半

红花三钱　枳壳一钱半

【制法】 水煎。

【用法】 内服。

【提示】 血臌病，宜按以上两方制药轮流内服，但服前方后，须隔一日再服后方，同时必须把药锅刷洗很净。

【出处】 禹县冀家仁（《河南省中医秘方验方汇编》续一）。

【主治】 大腹臌胀，全身倦怠，食欲不振，面色熏黄，贫血。

【方药】 苍术二两　青矾（煅）四两　枯矾二两　熟地六两　厚朴二两　贯众四两　鹤虱一两　川楝五钱　槟榔二两　乌梅一两　红枣（蒸去皮核）百枚

【用法】 共捣为丸，如梧桐子大，每日服三次，每次三钱，食前服，开水吞送。

【禁忌】 忌盐。

【出处】 长沙市中医柳述人（《湖南省中医单方验方》第二辑）。

【主治】 腹水。

【方药】 紫苏叶三钱　花槟榔七钱　广橘红七钱　泡吴萸三钱　炮干姜一钱半　黑牛子三钱　炒木瓜六钱　苦桔根三钱　煅甘遂二钱　净前仁一两

【用法】 煎两次，先后分服（忌食盐）。

【出处】 章藻辉（《崇仁县中医座谈录》第一辑）。

【主治】 肝硬化。

【治法】 ①白茅根二两，送服消水丹五分。服后大便下泻五至六次，次日用消水毒一钱，仍以白茅根送服，又大便五至六次。腹部稍小，呼吸不困难，转柔肝健脾利水剂。

②生白术七钱　薏米八钱　泽泻三钱　川楝子四钱　赤小豆一两　琥珀一钱　内金四钱　云苓一两半　冬瓜皮一两　杭芍四钱　猪苓三钱　炙鳖甲四钱　当归四钱　连服七剂，右肋已不作疼，但小便仍不多。

③乃以柔肝健脾利水剂：白术七钱　云苓二两　薏米八钱　赤小豆一两　泽泻三钱　车前八钱　防己二钱　川楝子四钱　玉金三钱　皂矾五分　内金四钱　六神曲三钱　通草一钱　连服九剂，肝扪之见小，大便黑色。

④按以上处方去皂凡加龙胆草三钱，商陆三钱。外以元寸商陆贴在肚脐，连贴十余剂，小便正常。共服药约六十余剂，二便正常，腹胀消失，停药观察。

【治验】 经治一例，已有食道静脉出血及昏迷。治疗后，肝功能恢复正常（治三个月，以休息两个月后检查）。

【出处】 山东德州中医院王子良（《中医名方汇编》）。

【主治】 肝硬变。

【治则】 根据临床症状，按阴、阳、虚、实决定治法。古人有阴水、阳水之分，以脉诊论，数大有力为阳，沉弱兼迟为阴。阳水以八正散为主，与胃苓汤化裁，清热、利尿、健脾、消肿。阴水以肾气丸加减，中寒胀满，得肉桂、附子之热其气乃行。腹水严重的，先以舟车丸泻之，这是急则治其标的办法，应注意掌握“衰其大半而止”，当腹水消去大半时应变方治本。至于阴水，虽严重，肾气丸服后，小便增多，肿即消，不必用泻。

早期治疗，根据两胁胀痛，消化不良，多本肝郁沉方法，以丹栀逍遥散清热开郁、养脾舒肝，随症加减即可治愈。病愈后诸症消失，脾虚气弱时，用六君子汤善后调理；如果胁痛未根治，乃用丹栀逍遥散调治，即可收效。

【治法】 由西医确诊后，按不同体质进行治疗。

1. 早期治疗：胁下垂痛，肝脏肿大，脘次胀满，口干舌苦，头晕，小便黄，或有鼻衄牙龈出血等。但没有腹水，一律用丹栀逍遥散加桃仁、郁金、鳖甲、香附，以破郁治胁痛，加三棱、莪术消痞治胀痛，有黄疸的可与茵陈蒿汤化裁。

2. 腹水治法：

①阳水治法：脉实而数，腹胁胀大，小便赤黄而少，口干口苦，八正散、胃苓汤化裁；脉数实小便少，大便燥或溏而色黄，皆尝用大黄，腹大如鼓，胀满不堪，小便点滴而下，病情严重时，先以舟车丸轻泻数次，再用八正散调治，这是急则治其标的意思。

②阴水治法：脉微弱，下肢发凉，口不干苦，腹胁胀大，小便微黄，济生肾气丸加减，重用茯苓、附子；胀甚加三棱、莪术、大腹皮，消胀利水。

3. 善后调理：腹水已消，胁痛等症状已愈，消化不良的用六君子汤加减善后调理；偶发胁痛加三棱、莪术，如胁痛常发，当用丹栀逍遥散收功。

【治验】 治 45 例，完全治愈 17 例，无效 6 例，接近痊愈 10 例，好转 12 例仍在继续治疗中。痊愈是指自觉症状及体征消失，肝功恢复正常者。17例痊愈者，其服药剂数16~270付，平均50付；治疗日程一个半月至15个月，一般为3至5个月。

【出处】 河北省中医研究所筹备处钱琪光（《中医名方汇编》）。

【主治】 肝硬化腹水。

【治法】 对胀满迫急之严重腹水，先以逐水之法用甘遂、元明粉等药研面吞服（如服药呕吐剧者，可装入胶囊吞服），一般情况则以软坚化瘀、行气散结、通利小便、活血止痛为主，用鳖甲、海藻、木香、枳实、李仁、冬葵子、瞿麦、滑石、灯心、通草、当归、芍药、桃仁、红花等药，所用剂量较大，如通草、灯心每次达三至四两之多，并根据体质脉症之虚实寒热在上述治法中参合桂、附、参、姜、苓、术运阳扶正之品，攻补兼行，使郁结消散、气血畅通，以复其运化之常。

【治验】 治11例，有8例基本消失，2例显著减轻。肝功改变较少。

【出处】 山西中医研究所（《中医名方汇编》）。

【主治】 肝硬化有腹水，脉沉伏有力。

【方药】 醋柴胡二钱　半夏一钱五分　甘草二钱　元芩二钱　桂枝二钱　焦术三钱　茵陈七钱　茯苓三钱　炒车前三钱　马鞭草二钱　广木香一钱　广郁金一钱五分　通草一钱　陈皮二钱

【用法】 用水600毫升，煎至300毫升，分二次早晚温服。

【禁忌】 食盐和冷食。孕妇忌服。

【出处】 延吉市刘延令（《吉林省中医验方秘方汇编》第三辑）。

【主治】 臌胀。

【方药】 铁沉香三钱 广木香三钱 乳香三钱 琥珀二钱 白丑七钱 黑丑七钱 槟榔一两 没药三钱

【用法】 研末，水糊丸。每服三钱半，空腹砂糖水送下。

【出处】 连成县罗仰佩（《福建省中医验方》第二集）。

【主治】 臌胀。

【方药】 怀山四钱 茯神二钱 西党二钱 黄芪二钱 远志肉一钱 当归二钱 桔梗八分 枣仁二钱 龙骨一钱五分 莲子一钱五分 辰砂三分 广香五分 元寸一分

【用法】 水煎去渣，再入元寸、辰砂二味，日服一剂，饭前服。

【治验】 叶征梅，女，十九岁，住武宁石门乡，患身肿腹膨，心悸欲吐，头眩失眠，二便通利，脉搏间歇，经服本方四剂诸症减轻，十二剂病愈。

【出处】 武宁县人民医院朱可贞（《锦方实验录》）。

【主治】 中满臌胀，四肢肿，泄泻。

【方药】 苍术二钱 陈皮二钱 川朴二钱 炙草一钱半 官桂二钱 白术二钱 泽泻二钱 猪苓三钱 茯苓三钱 白芍二钱 腹皮二钱 砂仁二钱 山楂二钱 神曲二钱 灯心少许

【用法】 水煎服。

【治验】 西栅村李立莲46岁，肚腹胀满不能行走，服此方三剂愈。

【出处】 赤城县米深（《十万金方》第一辑）。

【主治】 水臌。

【方药】 酒军四钱　大戟一钱　芫花一钱　甘遂一钱　槟榔三钱　青皮三钱　炒二丑三钱　大腹皮二钱　三棱三钱　莪术二钱　防己三钱　木瓜三钱

【制法】 水煎。

【用法】 口服，忌盐一百日。

【治验】 果园村王某某，男，43岁，患全身肿胀，脉沉细，病期21天服药二剂全愈。又南榆林村人方某，男，40岁患全身肿胀，脉沉细，服药一剂痊愈。

【出处】 涿鹿县庄殿甲（《十万金方》第一辑）。

【主治】 臌症。

【方药】 川军一两　芒硝八钱　蜣螂五个　二丑一两　萝卜子一两　广砂仁一两　广木香八钱

【制法】 共为细末

【用法】 壮人每服五钱、弱人二钱，开水冲服，孕妇忌用。

【出处】 平山县芦开太（《十万金方》第一辑）。

【主治】 气血水臌。

【方名】 五子散

【方药】 莱菔子五钱　黑丑三钱　白丑三钱　腹皮二钱　灵脂三钱　香附四钱　广木香三钱　草果三钱　葶苈子三钱　急性子三钱

【制法】 共为细末。

【用法】 每日早晚服药二钱，白水送下。

【出处】 武安县郭连（《十万金方》第十辑）。

【主治】 单腹胀。

【方名】 加减平骨散

【方药】 苍术二钱　陈皮二钱　枳壳二钱　香附三钱　榔片（炒）二钱　川朴三钱　郁李仁三钱　生鳖甲五分　二丑四钱炒　大黄三钱　甘草一钱

【用法】 水煎服。

【治验】 轻者十剂，重者三十剂疗。

【出处】 定县杨树屏（《十万金方》第十辑）。

【主治】 气臌，水臌。

【方药】 大将军一个烧黄二次用　白毫茶二两　大黄一钱　芝麻少许　大葱一头打乱　槟榔十二个　姜一块

【用法】 黄酒水各半，煎服。

【治验】 魏中其患水膨，久治不疗，服此药二剂而愈。

【出处】 景县孙学曾（《十万金方》第十辑）。

【主治】 臌症。

【方药】 三棱一钱　文术一钱　公丁香一钱　广木香一钱　甘遂一钱　豆双一钱　猪苓一钱　滑石三钱　青皮一钱　防己一钱

大戟一钱

【用法】 为末蜜丸，分八丸，每服一丸，白水送下，服完即愈。

【出处】 北都门诊部宋宝三（《祁州中医验方集锦》第一辑）。

【主治】 水臌，通身肿胀，小便不通。

【方药】 云苓四钱 炒薏仁四钱 炒山药二钱 炒白术三钱 防己二钱 木通一钱半 枳壳二钱 陈皮二钱 大腹皮二钱 建曲一钱 莱菔子二钱 车前子三钱 炙芪三钱 石参三钱

【制法及用法】 若寒邪过甚，酌加附子、肉桂、炮姜。水煎，饭前温服。

【禁忌】 盐和豆腐。

【出处】 右玉县赵玉衡（《山西省中医验方秘方汇集》第二辑）。

【主治】 臌胀病。

【方药】 枳实二两 白术一两 马通（干的）一两 木香五钱 砂仁三钱 萝卜子一两 草果三钱

【用法】 用水煎服。

【出处】 岳池县刘永贵（《四川省医方采风录》第一辑）。

【主治】 臌胀病。

【方药】 鸡肝七付 谷精草二两 夜明砂五钱 草决明五钱 生牡蛎五钱 番木鳖（炒酥）一两 使君子五钱

【制法】 鸡肝在瓦上焙干，和诸药研细。

【用法】 一日服三次，每次服二钱，白开水送下。

【出处】 蓬安县中医学会（《四川省医方采风录》第一辑）。

【主治】 臌胀。

【方药】 自附二钱　上桂末一钱半　巴戟天（姜汁炒）二钱　胡芦巴二钱　金铃子二钱　泡吴萸二钱　白术二钱　川椒一钱半　弋半夏一钱　姜枣引

【制法及用法】 水煎服。

【治验】 农人申某某，年五十六岁，肚大如箕，青筋贯腹，食入即胀，惟肺俞未平满，脚板心未平。前后服此方十六剂，腹胀消大半。后以金匮肾气丸，每早晚开水吞服五十粒。

【出处】 新建县卫协分会（《江西省中医验方秘方集》第三集）。

【主治】 巩膜有轻度黄染，右胁下有胀满压痛感，有腹水，小便甚少色红，食欲不振，时常恶心，口苦而渴，舌苔薄腻等。

【方药】 炒白术三钱　川黄连一钱　炒枳壳一钱　石决明一两　飞滑石（包煎）五钱　白通草一钱　茵陈一钱半　黄芩一钱半　冬瓜子三钱　石斛四钱　明天麻一钱半　竹叶三钱　紫丹参四钱　甘草一钱

【煎法及用法】 用水二茶杯，煎至一茶杯，清出去渣，饭前温服。隔三小时，渣再煎服。

【禁忌】　孕妇忌服。

【出处】　(《青海中医验方汇编》)。

【主治】　腹胀，两胁有硬块，有腹水，小便量少等。

【方药】　香附三钱　青皮二钱　三棱三钱　莪术三钱　枳壳二钱　木香一钱　砂仁一钱半　川朴三钱　陈皮三钱　甘草一钱　炙鳖甲二钱

【煎法及用法】　用水二茶杯，煎至一茶杯，清出去渣，饭前温服。隔三小时，渣再煎服。

【禁忌】　孕妇忌服。

【出处】　(《青海中医验方汇编》)。

【主治】　气臌，气胀诸药不效者。

【方药】　萝卜子二两　砂仁二两

【制法】　用生萝卜汁一两，拌浸砂仁一宿，取出晒干再浸，共浸七次，同为末，每服一钱。

【用法】　米汤调下。

【出处】　西安市中医进修班李道洋(《中医验方秘方汇集》)。

【主治】　腹大如鼓，四肢头面俱肿，用指压则有凹，小便短赤，大便溏泻，四肢冰冷，不能饮食，食则胀满不堪。

【方药】　人参二钱　党参五钱　生黄芪一两　当归身五钱　焦白术三钱　茯苓皮三钱　生姜皮三钱　大腹皮三钱　白桑皮三钱　炒枳壳一钱　木通片一钱半　紫肉桂一钱　紫厚朴一钱　远志二钱　茯神三钱　朱砂三分　琥珀五分　猪苓二钱　防己二钱　泽泻三钱

生姜三片　枣二枚

【制法】 先将朱砂、琥珀二味共研细末。

【用法】 前药水煎成汤，将朱砂、琥珀末，以童便一茶杯，温热同药汤服。

【出处】 西安市中医学习班王显璋（《中医验方秘方汇集》）。

【主治】 血臌症。

【方药】 雷丸三钱　当归三钱　鳖甲一两　红花三钱　枳壳三钱　白芍三钱　川牛膝三钱　桃仁四十粒

【用法】 水煎，日三次分服。

【出处】 孝感专署（《湖北验方集锦》第一集）。

【主治】 血臌。

【方药】 厚朴三钱　苍术二钱　炙甘草一钱半　广皮二钱　炒麦芽三钱　广木香一钱半　鲜瞿麦四钱　川芎二钱　桃仁泥二钱　大黄四钱　建沉香一钱

【用法】 水煎。内服。

【出处】 大冶县（《湖北验方集锦》第一集）。

【主治】 专治臌胀腹大，胸满坚硬，两腿肿大，面上微微浮起。

【方药】 桂心七分　炒苍术一钱五分　花槟榔一钱五分　川牛膝二钱　黑猪苓一钱五分　川厚朴一钱五分　赤木瓜一钱五分　汉防己一钱五分　泽泻一钱五分　大腹皮一钱五分　生姜衣一钱五分　煨草果一钱（以上汤剂）　甘遂五钱　生军六钱　千金子五钱去壳

大戟五钱　丁香一钱　葶苈五钱（以上六味，研细末，分作二十包）

【用法】 桂心等十二味，清水煎送药末一包，微微而泻，其肿胀渐渐退去，后再加党参、茯苓以善后。

【禁忌】 忌服腥气、生气、盐。

【提示】 汤药方健脾化湿，药末方峻泻攻水，最后加参苓善后，有攻补兼施之意。

【出处】 金华市陈美水（《浙江中医秘方验方集》第一辑）。

【主治】 臌症。

【方药】 大戟　甘遂　芫花　大盔沉　川军　皂角　葶苈子各一两半　豆双三钱

【制法】 共为细面，醋糊为丸，桐子大，赭石为衣。

【用法】 每天临睡时白水送下三四丸，逐日加一丸，至三十丸为度。

【治验】 此方治疗多人，无不有效。

【出处】 安国城关镇医院陈殿卿（《祁州中医验方集锦》第一辑）。

【主治】 肝气郁结，停食停水，腹满，便涩。

【方名】 木香槟榔丸

【方药】 朴硝（另包）半斤　榔片　木香　香附　大黄　枳实　青皮各四两　二丑二两　巴豆霜五钱

【制法】 共为细末，朴硝在水内溶化，合药面为丸。

【用法】 内服，每次服二钱白水送下。

【出处】 武邑县李志广（《十万金方》第一辑）。

【主治】 晚期腹水，腹部膨满，腹壁静脉怒张，或腹有痞块，二便不畅，或黄疸或下肢浮肿，而形体尚壮实任攻下者。

【方药】 巴豆霜三钱　芫花三钱　甘遂（面煨）三钱　棉大戟三钱　黑牵牛三钱　连翘三钱　赤小豆三钱　泽泻三钱　葶苈子三钱　藁本三钱

【用法】 逐味研细过筛，每种以三钱为准量，炼蜜为丸，如豌豆大。

每服三至五粒，日服三次，白茯苓三钱煎汤送下，量患者虚实酌用，体虚者相机使用。

【治验】 根据用者临床经验，本方有如下优点：①迅速泻下，使腹水消除；②有些病例，泻下后不损胃肠消化机能，反能增进食欲；③有刺激胆道的作用，既能直接排除腹水，复能改善门脉的循环，使腹水再生迟缓，或可控制腹水的再生。

【提示】 陈守楫医师介绍本方名十水丸。考十水丸有两方，和此稍有出入：《千金翼》十水丸有桑白皮、泽漆，无牵牛、泽泻；《外台》引《古今录验》一方有椒目、玄参、泽漆、桑白皮，无牵牛、连翘、藁本、泽泻。

【出处】 常德专区华容县砖桥乡血吸虫病防治小组中医陈守楫（《湖南省中医单方验方》第二辑）。

【主治】 腹水严重，肝脏硬化，脾脏肿大，肋下癥结。

【方药】 干姜三钱　大黄三钱　黄芩三钱　党参三钱　射干三钱　石韦三钱　厚朴三钱　半夏三钱　鳖甲三钱　桂枝三钱　海藻三钱　阿胶三钱　蜣螂六钱　柴胡六钱　白芍六钱　全虫五钱

大戟一钱　桃仁二钱　蜂房四钱　葶苈三钱

【制法】 将上药共研细粉。

【用法】 每次服三钱，每日服二次，用白开水送下。

【出处】 监利县（《湖北验方集锦》第一集）。

【主治】 晚期血吸虫病腹水，以及一般水肿。

【方药】 二丑六钱　炒萝卜子八钱　川朴四钱　红大戟二钱　生姜皮三钱　猪苓四钱　萹蓄六钱　蒲公英四钱

【制法】 水煎。

【用法】 一日三次服。

【出处】 沔阳县（《湖北验方集锦》第一集）。

【主治】 腹水。

【方药】 苡仁三钱　芫花二钱　甘遂二钱　海藻二钱　腹毛三钱　木通二钱五　大戟二钱　葶苈三钱　商陆二钱五　猪苓三钱　川泻三钱　木瓜二钱五　二丑四钱　防己三钱　通草二钱　前仁四钱

【制法】 水煎。

【用法】 日服三次，以腹水消失为度。

【出处】 公安县（《湖北验方集锦》第一集）。

【主治】 全身黄肿，色黯不鲜，腹部膨胀，心悸体倦。

【方药】 青矾（煅）一两　广皮一两　茵陈一两　当归一两　黄连三钱　白豆蔻三钱　雄黄三钱　朱砂三钱　甘草三钱　丹参八钱

【用法】 上药味共研细末，用糁子粉半升，蜜糖二两，加米汤和制成丸，如梧桐子大，每早用水酒吞服一酒杯，以好为度（约三剂）。

【加减】 如腹痛，加肉桂一钱，磨汁调服。

【出处】 新化县中医吴宏光（《湖南省中医单方验方》第二辑）。

六、黄疸

黄疸很常见，是因胆红素代谢障碍而引起血清内胆红素浓度升高所致。主要表现为巩膜、黏膜、皮肤及其他组织被染成黄色。

肝胆的器质性或功能性病变都有可能引起黄疸，所以黄疸不仅是一种体征，更是相关疾病的外在反映。

【主治】 黄疸。
【方药】 冰糖四两　冷水一斤
【制法】 上二味冲化饮之。
【用法】 内服。
【出处】 尚义县朱昭庆（《十万金方》第二辑）。

【主治】 黄疸。
【方名】 民间单方
【方药】 苦丁香（焙黄）
【制法】 研为细面。
【用法】 吸入鼻腔内，便鼻流出黄水，在五天内可愈。
【出处】 阳原县（《十万金方》第三辑）。

【主治】 黄疸病。

【方药】 甜瓜蒂九钱

【制法】 分三次煎服。

【用法】 每隔三天煎服一次。

【治验】 服三次即愈。

【出处】 高阳县赵庆生(《十万金方》第六辑)。

【主治】 统治黄疸，久不愈而他药罔效者。

【方药】 桃树根(向南生的细根，洗净切碎)。分量可按病人年龄大小、体质强弱而定，壮人约用鲜根半斤，老弱酌减。

【用法】 水煎，取汁两碗，早晨空心服，服后一至二小时，即大便下尽黄水而愈，但须继续进调补脾胃之药，庶无后患。

【出处】 高阳县任宝华(《十万金方》第六辑)。

【主治】 全身面目皆黄，四肢乏力。

【方药】 马鞭草五钱

【用法】 水煎服，连服半月即愈。

【出处】 徐水县赵景准(《十万金方》第六辑)。

【主治】 黄疸。

【方药】 二丑三钱研面

【制法】 装入馒头内，用微火烤焦为面。

【用法】 白水送下。

【出处】 抚宁李绍文(《十万金方》第十二辑)。

【主治】 黄疸病。

【方名】 民间效方

【方药】 墙上的星星草一把（气味腥羶）

【用法】 水煎熬服之一日服五六次，每次服一碗。服此药后尿黄尿者灵验。

【出处】 安国县高天佑（《十万金方》第十二辑）。

【主治】 黄疸（全身发黄）。

【方药】 鲜桑根白皮（即桑根二瓤皮）五钱

【用法】 和冰糖冲汤炖服。服三至四次，其黄即退。

【出处】 闽侯县林拱冈（《福建省中医验方》第二集）。

【主治】 黄疸。

【方药】 螺丕草（生用一两，干用六钱）

【用法】 和赤猪肉炖服。

【出处】 南安县卫生工作者协会（《福建省中医验方》第二集）。

【主治】 黄疸。

【方药】 枇杷叶数两或一斤

【用法】 浓煎去渣，同豆腐炖食，或清水煎服。

【提示】 禁用盐。

【出处】 晋江县王荣墀、三元县卫生工作者协会（《福建省中医验方》第二集）。

【主治】 黄疸。

【方药】 苦瓜根三两

【用法】 炖猪脚服。

【禁忌】 禁忌糖类。

【提示】 苦瓜根对于阳黄疸确有疗效，民间单方多用此物。

【出处】 仙游县卫生工作者协会（《福建省中医验方》第二集）。

【主治】 黄疸。

【方药】 金不换二至四两

【用法】 水煎。饭后二小时加黄酒二汤匙服。

【出处】 福州市升平社十四号王习芦、莆田县庄边第一联合诊所薛松筠、海澄城关镇源源诊所林永义（《福建省中医验方》第四集）。

【主治】 黄疸。

【方药】 鲜白毛将（七层宝塔又叶四季春）三两

【用法】 水煎服，一二次。

【提示】 又治白喉、疔疖、脓疡、阿米巴痢疾等。

【出处】 福州市刘福星、王习芦、张潮海（《福建省中医验方》第四集）。

【主治】 面黄（全身发黄）。

【方药】 陈萝卜叶一两

【制法】 熬水。

【用法】 打鸡蛋荷包尽量食之。

【出处】 陈德三（《河南省中医秘方验方汇编》）。

【主治】 黄疸。

【方药】 臭蒲草半斤

【制法】 水一升，煎至半升。

【用法】 内服一付可愈。

【出处】 信阳付品三（《河南省中医秘方验方汇编》续二）。

【主治】 黄疸，眼珠及面全身发黄，小便解出呈深黄色。

【方药】 满天星草（此草生于花盆及石基左右，叶小形似浮萍，叶上有花纹）一握，炆素猪肉吃

【用法】 如上。

【出处】 长沙市中医苏蕴茸（《湖南省中医单方验方》第二辑）。

【主治】 急性肝炎黄疸。

【方药】 鲜车前草（连苗和根）

【用法】 多扯一些，捣烂采取自然汁数碗，日夜频频饮之。

【出处】 益阳县中医陈一中（《湖南省中医单方验方》第二辑）。

【主治】 黄疸病（眼目周身微黄）。

【方药】 大蓼子草

【用法】 水煎服。连服二三次即愈。

【出处】 邛崃县高西奎（《四川省医方采风录》第一辑）。

【主治】 黄疸。

【方药】 薏苡仁根六钱

【制法】 水煎。

【用法】 内服。

【出处】 曾禄高（《中医采风录》第一集）。

【主治】 黄疸。

【方药】 鲜瓜蒌根一斤

【制法】 捣汁。

【用法】 内服。

【出处】 梁既明（《中医采风录》第一集）。

【主治】 黄疸病，经久不愈。

【方药】 小田螺二十余个

【用法】 将田螺打碎，用米酒炆，连吃二三次即愈。

【出处】 陈静安（《崇仁县中医座谈录》第一辑）。

【主治】 黄疸。

【方药】 藏茵陈一两

【用法】 煎水，频频服之。

【出处】 牛东生（《中医验方汇编》）。

【主治】 全身及眼发黄。
【方药】 田中小鱼（如针大）七个
【制法】 用冷开水冲洗数次。
【用法】 冷开水一次吞服。
【出处】 古少清（《贵州民间方药集》增订本）。

【主治】 黄疸。
【方药】 甜瓜蒂连梗一枚
【制法】 烧焦研末（存性）。
【用法】 吹鼻有效。
【出处】 孝感专署（《湖北验方集锦》第一集）。

【主治】 黄疸。
【方药】 柳枝四钱
【制法】 煎汤。
【用法】 连服几次有效。
【出处】 孝感专署（《湖北验方集锦》第一集）。

【主治】 黄疸。
【方药】 青瓜蒌一个
【制法】 焙干研末。
【用法】 日服三次，每服二钱，卧时服，服后拉黄色便即愈。
【出处】 孝感专署（《湖北验方集锦》第一集）。

【主治】 黄疸。

【方药】 秦艽一两酒浸

【制法】 水煎。

【用法】 分二次空心服，大小便通利即愈。

【出处】 沔阳县（《湖北验方集锦》第一集）。

【主治】 黄疸。

【方药】 鲜大麦苗

【制法】 水煎。

【用法】 内服。

【出处】 沔阳县（《湖北验方集锦》第一集）。

【主治】 黄疸。

【方药】 茵陈四五钱

【制法】 开水煎。

【用法】 早晚当茶饮。

【出处】 鄂城县（《湖北验方集锦》第一集）。

【主治】 黄疸。

【方药】 茵陈

【用法】 上药煎浓汤，每日吃为妙，忌荤腥鱼肉，并忌盐味而淡食，则能速愈。

【加减】 若腹中不快，加神曲、麦芽同煎；小便不利，加车前子；渴者，用瓜蒌根打汁碗许。

【提示】 独味茵陈（用量：三钱至一两）治疗黄疸，经各医院临床应用证实有效，已见各杂志报道。但无湿热，或由于蓄血而发黄者禁用。

【出处】 乐清县黄冠球（《浙江中医秘方验方集》第一辑）。

【主治】 食积黄疸。

【方药】 老丝瓜连子

【用法】 烧存性为末，每服二钱。因面得病者面汤下，因酒得病者淡酒下。

【提示】 本方见于《卫生易简方》。

【出处】 乐清县黄冠球（《浙江中医秘方验方集》第一辑）。

【主治】 黄疸，通身发黄。

【方药】 生南瓜蒂

【用法】 捣烂绢包塞鼻孔，男左女右，又须令病者以布围其两肩，待黄水流尽即愈。或以干南瓜蒂炙灰为末，以鼻嗅之，黄水流尽亦愈。

【出处】 乐清县黄冠球（《浙江中医秘方验方集》第一辑）。

【主治】 黄疸

【方药】 玉蜀黍须

【用法】 煎服。

【出处】 瑞安县方瀛仙（《浙江中医秘方验方集》第一辑）。

【主治】 黄疸症，患者全身，目睛、小便皆黄，食不下，心下胀闷。

【方药】 瓜蒂七个 白丁香（即雄麻雀粪）七个

【制法】 以上共研为细面。

【用法】 吹鼻内，少时流出黄鼻涕即愈。

【禁忌】 禁食黄米、生冷、辛辣之物。

【出处】 石家庄市张希景（《十万金方》第二辑）。

【主治】 黄疸。

【方药】 瓜蒂四分 麝香一厘

【制法】 共研细末。

【用法】 吹入鼻孔以流出黄水为度（吹上药后要直身端坐，不得垂头，俟黄水流尽再躺下）。

【治验】 此方特效。

【出处】 束鹿县范静芝（《十万金方》第二辑）。

【主治】 各种黄疸。

【方药】 苦丁香（即甜瓜蒂）三钱 栀子三钱

【用法】 共研极细末，用纸包住，塞入两鼻孔内，使流黄水，至感觉头痛为度，即可将药除去，同时再用茵陈一两，水煎服更效。

【出处】 商都县李丕英（《十万金方》第三辑）。

【主治】 暴发性的黄疸症。

【方药】 黄连、苦瓜蒂各等分

【制法】 共为极细面。

【用法】 鼻内闻之，吸后鼻流黄水，以黄退为度。

【出处】 宁晋县王书通（《十万金方》第三辑）。

【主治】 周身发黄，小便黄赤，大便薄白，四肢倦怠。

【方药】 黑豆一斤 黑矾四两

【用法】 二味共入水同煮，豆熟取出随意食之。

【治验】 食完即愈，黄疸病用之奇效。

【出处】 徐水县张然明（《十万金方》第六辑）。

【主治】 黄疸病。

【方药】 白丁香 苦丁香各一钱

【制法】 共为极细末。

【用法】 将药面闻在鼻孔内，每次闻一分。

【出处】 河北滦县郭荫章（《十万金方》第十二辑）。

【主治】 目赤，皮色苍黄，身体倦怠，饮食不振。

【方药】 苦丁香（原名甜瓜蒂）四钱 大黄米五钱

【制法】 共为细末。

【用法】 每日用笔杆吹鼻孔二次，每次约一分，吹药后目流黄水，小便尿黄，鼻子胀，流黄水等。

【出处】 峰峰矿区山底村张有禄（《十万金方》第十二辑）。

【主治】 利尿，治黄疸。

【方药】 茅根五钱 西瓜皮

【用法】 水煎服。

【出处】 安国县刘竹君（《十万金方》第十二辑）。

【主治】 治黄疸、谷疸、酒疸、色疸，面、目黄色，小便黄色。

【方名】 矾石散

【方药】 黑矾三两　白面三钱

【制法】 将白面用水和匀如饼，将矾包裹放火上煨熟黄色，再为细面。

【用法】 用黄酒送下，分两次服完。

【出处】 （《十万金方》第十二辑）。

【主治】 黄疸。

【方药】 净青黛五分六厘　洁白矾一分

【制法】 以上二味，研极细末，分七包。

【用法】 每日清晨，用鸡蛋清一个去沥（沥即鸡清内之白色小粒，亦名鸡精），调药面一包，空心服之。

【出处】 乐亭高纯智（《十万金方》第十二辑）。

【主治】 黄疸。

【方药】 新麦苗一握　滑石五钱（如无麦苗可以麦芽长至寸许时代替）

【用法】 水煎服。

【出处】 张家口市王筵卿（《十万金方》第十二辑）。

【主治】 黄疸。

【方药】 苦丁香五分　茵陈一两

【制法】 把苦丁香研末。

【用法】 先将苦丁香末吹入鼻内，流出黄水再煎茵陈汤服之。

【出处】 峰峰矿区韦贞田（《十万金方》第十二辑）。

【主治】 黄疸病。

【方药】 大黑豆一斤 黑矾一两

【用法】 用水二碗将二味共煮一处，待豆熟为度，晒干后每日常吃，七日则黄退，月余则面见黑胖，可少吃细嚼，多吃则恶心，甚则驱吐。

【出处】 安国县宋展勋（《十万金方》第十二辑）。

【主治】 黄疸。

【方药】 大黑豆一斤 黑矾一两

【制法】 水两碗，入药与黑豆共煮一处，以豆熟为度，晒干。

【用法】 每日常服细吃。

【反应】 用过七日后黄即减退，月余即愈，多服黑胖。

【提示】 如用过量有呕吐的，可以少用。

【治验】 周小锁患此症，目黄，身黄胖肿，服他药未好，连用此药二个月，黄退，身壮，色黑。又曹洛泽，患黄疸，经服此药，月余痊愈。此方治愈四十余人。

【出处】 安国县伍仁桥医院宋殿勋靳祥云二位（《祁州中医验方集锦》第一辑）。

【主治】 黄疸病。

【方药】 苦丁香二钱 白丁香五钱

【制法】 共为细末吹入鼻内，自流黄涕为止。

【用法】 每次吹药面二分，三日黄色即退，再继续用干西瓜皮一两，水煎当茶饮，大利尿，永不再犯。

【出处】 安国南羊村马自修（《祁州中医验方集锦》第一辑）。

【主治】 黄疸（并发水肿）。

【方药】 葫芦草（新鲜的）　土茵陈三钱

【制法】 将葫芦草捣如泥，取汁一杯，加米酒，开水各半杯，和土茵陈放中陶器中炖，炖至土茵陈出味就可服用。

【用法】 宜采用“量少次数多”的服法，可在一日内将药分六次至八次服完。

【出处】 莆田县李文杏（《福建省中医验方》第三集）。

【主治】 黄疸。

【方药】 土荆芥一两　食盐一撮

【用法】 混合捣烂，敷在手掌虎口处，男左女右，待皮肤局部起泡发热，就把药取掉，但勿使水泡里的液体流出。此药功效大，屡试屡验。

【出处】 莆田县唐哲丞（《福建省中医验方》第三集）。

【主治】 黄疸。

【方药】 茵陈一两　大枣一斤

【制法】 用砂锅煮之。

【用法】 每早晚温食，每次去皮核吃五个枣，饮两匙水。

【出处】 董先登（《河南省中医秘方验方汇编》）。

【主治】 黄疸。

【方药】 茵陈四两　大枣一斤割破

【制法】 二味同煮至枣熟。

【用法】 每次食枣十余枚，重病二剂可愈。

【提示】 二味煮至水尽为佳。

【出处】 平兴李伯英（《河南省中医秘方验方汇编》续二）。

【主治】 黄疸病（眼目周身微黄）。

【方药】 老鹰茶树上的寄生子四两　苦蕹二斤

【用法】 装入猪小肠内炖服，去渣服汤及小肠。

【出处】 綦江县邹安荣（《四川省医方采风录》第一辑）。

【主治】 黄疸。

【方药】 陕茵陈四钱　戎盐二钱

【制法及用法】 共杵如泥，为丸，如桐子大，开水送服，每服二十一粒，两服之后小便即清，末后再吃鸡蛋二三十枚补助营养。

【提示】 茵陈蒿为著名利胆药，功能解热利尿，适用于黄疸、肝郁血、肝变硬、胆石、胆囊炎等症，今再配以变质活血的戎盐，更可提高疗效，故对黄疸症是有效方。

【出处】 陈大章（《成都市中医验方秘方集》第一集）。

【主治】 黄疸。

【方药】 茵陈六钱　白鲜皮六钱

【制法】 水煎。

【用法】 内服（一日二次分服）。

【出处】 曾禄高（《中医采风录》第一集）。

【主治】 黄疸病，面目一身尽黄，口苦，小便深黄如浓茶，湿热甚重者。

【方药】 生蒲公英二两　生车前草二两

【制法及用法】 将上药洗净，待水干捣烂，用布绞取汁，另用温开水冲服白明矾末二分，约半小时到一小时，再服此药汁，每日一剂。

【诊断】 阿米巴痢疾。

【中医诊察】 患者发病已十余日，初起发寒发热，继而下痢赤白，便次频繁，约十来分钟一次，里急后重，精神软弱，食欲不振，怀孕已九个月，脉象弦缓，舌质红苔薄黄。

【治疗经过】 根据本病见证，系属湿热下痢、气滞血凝之候，且患者怀孕，更宜照护胎儿，乃仿仲景热痢下重者用白头翁汤主之的经验，处以白头翁汤加芍药、当归等以清湿热，调和气血并照顾胎儿，投药三剂，病势日渐减轻，再服数剂后痊愈出院。

【出处】 九江市第二人民医院（《锦方实验录》）。

【主治】 遍身面目悉黄，精神疲软，食纳不振，胸闷体重，色黄而暗者。

【方药】 皂矾不拘多少，用醋拌湿（炭火煅成白色，透冷，每用一两五钱）　黑膏枣肉（去核）二两五钱

【制法及用法】 上二味共杵成丸，每丸重量一分，早晚各吞七粒，甜酒开水各半吞服。能饮酒者，十日后将甜酒易

烧酒益佳，服后呕吐无防（忌大发食物）。病重者四两成丸可愈，轻者酌量减少。

【出处】 南昌县卫协分会（《江西省中医验方秘方集》第三集）。

【主治】 黄疸（全身皮肤及黏膜呈显著的黄色，结膜尤甚，小便深黄色，大便灰白色）。

【方药】 郁金四两　茵陈蒿十二两

【制法及用法】 郁金一味研末，每服一钱，日三服，以茵陈三钱煎汤送下。

【出处】 贵溪卫协分会吴方（《江西省中医验方秘方集》第三集）。

【主治】 黄疸病。

【方药】 绣花针（民间草药）一握　猪脚肉一斤

【用法】 将上药同炆，去渣，取汤食肉。

【出处】 叶广惠（《崇仁县中医座谈录》第一辑）。

【主治】 黄疸病。

【方药】 茵陈二两　红枣二十枚

【用法】 水煎二次，分三次服，每服煎剂一次，则食红枣七枚。

【出处】 吴诚之（《崇仁县中医座谈录》第一辑）。

【主治】 黄疸（慢性肝炎）。

【方药】 满天星四两　猪肉八两

【用法】 取满天星洗净，用水一大碗，加猪肉同煎成二分之一，取起分两次服下，每隔四小时服一次。

【出处】 胡龙秀、杜风兰（《崇仁县中医座谈录》第一辑）。

【主治】 走黄疸。

【方药】 败浆草约二至三两　豆腐二至三块

【用法】 将药洗净，用水一大碗，煎成二分之一，取汁去渣，再将该汁与豆腐同煮三十分钟，取起，作一次或二次服下。连服三天，其病自退。

【出处】 胡华远（《崇仁县中医座谈录》第一辑）。

【主治】 皮肤发黄。

【方药】 绣花针三两　猪库口肉一斤

【用法】 取绣花针洗净，与猪肉同炆，取汤分两次服下，每隔 4 小时服一次。

【出处】 何茶花（《崇仁县中医座谈录》第一辑）。

【主治】 黄疸。

【方药】 苦丁香十个　冰片（研细末）一分

【用法】 用竹筒吹入鼻孔流出黄水，吹前先饮酒三杯，覆被取微汗。

【出处】 张春岫（《大荔县中医验方采风录》）。

【主治】 全身发黄、虚肿（即懒黄病）。

【方药】 猪胆一个　白糖二两

【制法】 用冷开水拌和。

【用法】 内服，三日一次，连服三剂。
【出处】 唐华久（《贵州民间方药集》增订本）。

【主治】 黄疸。
【方药】 鸡蛋一个 猪胆一个
【制法】 调匀。
【用法】 和匀分三次服。
【出处】 孝感专署（《湖北验方集锦》第一集）。

【主治】 黄疸。
【方药】 青矾一两 麦面粉四两
【制法】 先炒麦粉，后下青矾，拌匀。
【用法】 每天早晨吃二次，每次两汤勺，中午服一次。
【出处】 孝感专署（《湖北验方集锦》第一集）。

【主治】 黄疸。
【方药】 茵陈三钱 鲜皮三钱
【制法】 水煎。
【用法】 内服。
【出处】 沔阳县（《湖北验方集锦》第一集）。

【主治】 阳黄，阴黄，周身发黄。
【方药】 安息香一支 甜瓜蒂三钱
【制法】 共研细末，用草纸卷成条。
【用法】 火点着熏鼻，阳黄加寸香少许。
【出处】 恩施专署（《湖北验方集锦》第一集）。

【主治】 黄疸。

【方药】 麝香一分　黄皮癞虾蟆一只

【用法】 麝香放脐内，虾蟆破腹，不去杂，复于脐上，用布捆住，数日即效。

【出处】 沙市（《湖北验方集锦》第一集）。

【主治】 黄疸。

【方药】 苦丁香三钱　黄瓜蒂三钱

【用法】 共为粗末，加艾叶用纸将药卷一柱状，点一端令烟薰鼻。

【出处】 梨树县李金山（《吉林省中医验方秘方汇编》第三辑）。

【主治】 黄疸（目黄，肤黄，小便如柏汁，大便灰白）。

【方药】 真青黛三分　白明矾七分

【用法】 上药共研细末，分七包，每日清晨用鸡蛋清一枚，空心调服。轻者七服，重者十四服，必效。

【出处】 薛幼竹（《中医验方交流集》）。

【主治】 黄疸。

【方药】 黑矾一两　琥珀五钱

【用法】 黑矾盛于盆内，加醋放火上烧红，入琥珀，共研为末，用蒸馍（四两）一个，共合为丸，如梧桐子大。每次十五至二十丸，早晚各服一次，开水送服。

【禁忌】 忌食脂肪和茶类。

【出处】 赵俊卿（《中医验方汇编》）。

【主治】 黄疸，其症胸腹胀满，呃逆，白眼球发黄，继则唾液，小便均黄，以白布拭之，即染成黄色，口燥渴、食欲减退，时或烦燥。

【方名】 硝石矾石丸

【方药】 硝石（火硝） 矾石（染布的黑矾）等分 大麦面

【制法】 上药以大麦面糊为丸。

【用法】 内服，成人每次服一钱半，日服二至三次，如服后无反应，可加至二钱，一般服三次后，腹胀减，黄随退。

【出处】 晋县中医进修学校（《十万金方》第三辑）。

【主治】 黄病。

【方药】 黄豆 小米 冰片少许

【制法】 每日熬稀饭（当饭吃）。

【用法】 吃七天。

【出处】 阳原县张彩轩（《十万金方》第三辑）。

【主治】 黄疸。

【方药】 公丁香二钱 白丁香二钱 苦丁香二钱

【用法】 共为细末用一分吹入鼻中一时流黄水，水尽即愈。

【出处】 安国县耿老（《十万金方》第十二辑）。

【主治】 黄疸病。

【方药】 白丁香七个 苦丁香七个 江米七个

【制法】 共为细面，做闻药。

【用法】 将以上配成的细面少许闻入鼻中，即流出黄色之鼻液，连日闻之黄色液物转白为止，即能恢复健康。

【出处】 安国县李鹤鸣（《十万金方》第十二辑）。

【主治】 黄疸病。

【方药】 苗麦一两　滑石五钱　栀子三钱

【反应】 服后增进饮食，增长力量，黄疸自消失。

【用法】 水煎服。

【出处】 安国县小店村芦德荣（《祁州中医验方集锦》第一辑）。

【主治】 黄疸病。

【方药】 白面卷子三斤　黑矾二两　烧酒一斤

【制法】 将卷子拍碎，将黑矾研为细面，撒上调匀，再将烧酒调拌，将酒点烧，火灭为度，共研细面。

【用法】 每服三钱至五钱，每日服三次，白水送下。

【反应】 服后不凉不热，腹内响鸣，大便即下，将此药食完，即能痊愈。

【治验】 白堡村李兰三，年二十八岁，八里庄周文房，三十四岁，用此药一料痊愈。

【出处】 安国县淤村乡医院康金华（《祁州中医验方集锦》第一辑）。

【主治】 黄疸。

【方药】 细谷糠二两　鸡蛋三个　白糖五钱

【制法】 以谷糠熬水，去糠留水。

【用法】 将糠水打荷包鸡蛋，加白糖食之。

【出处】 侯太连（《河南省中医秘方验方汇编》）。

【主治】 黄疸（阴黄）。

【方药】 生姜二两　黑矾二两　大枣二两

【制法】 捣碎枣肉为丸，如豆大。

【用法】 每服三四十丸。

【出处】 孙锡洲（《河南省中医秘方验方汇编》）。

【主治】 黄疸。

【方药】 瓜蒂一钱　母丁香一钱　赤小豆五分

【制法】 共为细面。

【用法】 将药面四五厘吹入鼻内（早晨吹），连吹三五天可愈（吹后鼻流黄水为效）。

【出处】 新专梁试（《河南省中医秘方验方汇编》续二）。

【主治】 黄疸。

【方药】 槐实半斤　半斤以上鲫鱼一个　挂面半斤

【制法】 先将鲫鱼和槐实煮熟后，再将挂面下入煮熟。

【用法】 去药吃面，盖被出汗即愈。

【出处】 信阳周力成（《河南省中医秘方验方汇编》续二）。

【主治】 黄疸，以肝脏部位有硬肿者更宜。

【方药】 茵陈一两　青矾　皮硝各五钱

【用法】 以上三味熬汁，拌药黑豆一升炒香，合蜜糖吃。

【出处】 永明县中医（《湖南省中医单方验方》第一辑）。

【主治】 黄疸。

【方药】 猪肝半斤　百草霜五钱　食盐少许

【用法】 猪肝切碎，与百草霜、食盐拌匀，用厚纸浸湿包好，入炉火内煨熟吃。

【出处】 治湖工地中医（《湖南省中医单方验方》第一辑）。

【主治】 葫豆黄及湿热黄疸症。

【方药】 生鲤鱼一条重半斤勿破　黄糖四两　冬瓜苗二两研末

【制法及用法】 兑沸水四两共炖热后，鱼肠取出勿服，净服鲤鱼糖汁空心服，五天服一次。

【出处】 龙南中山门外吴玉先师授（《江西省中医验方秘方集》第三集）。

【主治】 黄疸。

【方药】 茵陈五钱　玉片五钱　白糖一两

【用法】 在壶内泡之，饭后，随时当茶饮。

【出处】 大通中医进修班蔡宗玉（《中医验方汇编》）。

【主治】 黄疸全身皆黄，便秘，口干头晕者。

【方药】 茵陈一两八钱　生栀八钱　大黄六钱

【制法】 水煎。

【用法】 分三次服。

【出处】 鄂城县（《湖北验方集锦》第一集）。

【主治】 黄疸。

【方药】 野芹菜二两 大蒜瓣五个 明雄一钱

【制法】 捣烂如泥。

【用法】 将药泥放于手腕内上二寸，用酒杯将药泥嵌着，用毛巾包好，至发痒起泡后去药。

【出处】 黄陂县（《湖北验方集锦》第一集）。

【主治】 黄疸。

【方药】 生熟苍术三钱 红栀三钱 茵陈一钱半

【用法】 开水泡，服三剂即愈。

【出处】 黄陂县（《湖北验方集锦》第一集）。

【主治】 黄疸。

【方药】 赤小豆一粒 瓜蒂三钱 胆矾七分

【用法】 共研细面，每用少许吹于鼻孔内，以鼻流出黄水、眼出黄泪、小便黄尿为效。

【出处】 农安县郭老太太（《吉林省中医验方秘方汇编》第三辑）。

【主治】 黄疸。

【方药】 茵陈六钱 菟丝子六钱 陈皮六钱 虫衣六钱

【制法】 共为细面。

【用法】 每服三钱，元酒送下。

【出处】 商都县（《十万金方》第二辑）。

【主治】 黄疸。

【方药】 苦丁香一钱　白丁香五分　冰片五分　黄米十粒

【制法】 上药共研细末。

【用法】 一日三次，放鼻上闻之，使流黄水。

【出处】 沽源县魏汉章（《十万金方》第二辑）。

【主治】 黄疸，全身萎黄或各黄胖病。

【方名】 百中萎黄丸

【方药】 苍术十两　糯米泔浸　神曲二两　炒黄皂矾六两醋拌晒干煅

【制法】 以上诸药共为细面，醋糊为丸。

【用法】 日服三次，每饭后服，五分至一钱，黄酒送下（白水亦可）。

【提示】 服后胃部稍有不舒或沉重感，短期即消。

【禁忌】 茶叶同用。

【治验】 张爱英，女，二十二岁，患时头昏痛眼眩，气短心跳不安，食少，经水不调，颜面萎黄苍白，微浮神肿，胃部膨胀不痛等甚，经服用本方十余日已，经两月痊愈。

【出处】 南宫县郭长清（《十万金方》第六辑）。

【主治】 黄疸病。

【方药】 炒苦丁香七个　炒白丁香七个　赤小豆七个　党参一钱　共为细面

【用法】 将药面吹鼻孔内，即流黄水。另以茵陈水合黄酒合饮。

【出处】 安国西照村许尚祥（《祁州中医验方集锦》第一辑）。

【主治】 黄疸病，心脏衰弱症。

【方药】 马蹬钱三个 黑矾二两 核桃仁十个 鸡内金一两

【制法】 共为细末，小枣肉为丸，如桐子大。

【用法】 每服五分，早晚用白开水送下。

【治验】 本县郑村郑洛齐，吴庄王银风，均一料而愈。

【出处】 安国焦庄王腾霄（《祁州中医验方集锦》第一辑）。

【主治】 黄疸。

【方药】 红菇 蛏干 生地 猪赤肉

【用法】 上药各取等量，加水酒各半炖服，四剂即愈。

【出处】 仙游县大济联合诊所岳金瑛（《福建省中医验方》第四集）。

【主治】 黄疸初起。

【方药】 川朴八钱 茯苓一两 泽泻一两 大枣三两

【制法】 上三味共为细末，大枣取肉，同饴糖炼为丸，如桐子大。

【用法】 每服三钱，米汤送下。

【出处】 李济川（《河南省中医秘方验方汇编》）。

【主治】 黄疸初起。

【方药】 毛木炭一两　川朴一两　茵陈一两　黑矾四钱

【制法】 枣肉为丸如桐子大。

【用法】 每服三钱开水送下。

【出处】 傅作桂（《河南省中医秘方验方汇编》）。

【主治】 黄疸（阳黄）。

【方药】 赤小豆　白黍子　公丁香　苦丁香焙干或晒干各七个

【制法】 上药共为细末，分为三包。

【用法】 每天用一次，把一包吸在鼻腔内，用纸塞住鼻孔，两小时后把纸去掉，鼻内即流黄水，药完可愈。不愈再用一料。

【出处】 洛专张文（《河南省中医秘方验方汇编》续一）。

【主治】 黄疸。

【方药】 黑矾半斤　小枣泥一斤　胡桃仁去薄皮四两　红花微炒四两为末

【制法】 上药合捣极匀，和入炼蜜为丸，桐子大。

【用法】 每早晚空心各服十五粒。

【禁忌】 南瓜杂肉。

【提示】 服药后，如有欲呕现象，应减量服。

【出处】 濮阳边建修（《河南省中医秘方验方汇编》续一）。

【主治】 黄疸。

【方药】 黑矾一钱半　白胡椒七个　桂楠一钱　白面四两

【制法】 共为细末，和面作成干饼。

【用法】 一日分三次，食尽。

【提示】 方中黑矾量为一钱半似嫌重，如服后有呕恶反应时，可减量用。

【出处】 新专杨明庆、明秀山（《河南省中医秘方验方汇编》续二）。

【主治】 黄疸。

【方药】 茵陈五钱　当归三钱　黄连二钱　甘草一钱

【制法】 水煎。

【用法】 内服。

【出处】 胡明生（《中医采风录》第一集）。

【主治】 水湿黄疸（身黄软弱，便溏，甚则浮腫气。

【方药】 煅青矾一钱半　炒苍术一钱半　制半夏一钱半　大红枣三个

【制法及用法】 水煎，分二次服。轻者一剂，重者2~3剂效。如每年夏季发者，前药加十倍，枣肉为丸如梧桐子大，早晚各服二三十粒，约一二料痊愈。

【出处】 安义县卫协分会袁克炫（《江西省中医验方秘方集》第三集）。

【主治】 黄疸，大便不利。

【方药】 茵陈八钱　大黄二钱　山栀子二钱　郁金二钱

【煎法及用法】 用水二茶杯，煎至多半茶杯，清出去渣，饭前温服。隔三小时，渣再煎服。

【出处】（《青海中医验方汇编》）。

【主治】 黄疸。

【方药】 皂矾一两 火硝一两 干小麦蒸馍二两 生石膏八两

【用法】 前三味研末为丸，每重一钱，每服一丸，一日三次，每次以生石膏二两煎汤送服。

【提示】 服药后下黑粪，体温下降。三日九丸退热，病即痊愈。

【出处】 互助人民医院杨焕（《中医验方汇编》）。

【主治】 全身发黄。

【方药】 大山羊一两 黄鳝（取血）一条 白糖二两 烧酒四两

【制法】 取白糖烧酒混合，滴入黄鳝血，于酒面上点火，使燃烧；再加入大山羊，搅拌煮之；待酒约烧去一半时熄火，取其汁。

【用法】 分三次内服。

【出处】 潘树恒（《贵州民间方药集》增订本）。

【主治】 黄疸。

【方药】 针砂二两 广香五钱 皂矾四两 红枣（去核）六两

【制法】 皂矾煅成绛紫色，与前药共研细末，以枣同捶如泥，炼蜜为丸，如梧桐子大。

【用法】 饭前服30丸，开水送下。
【出处】 沔阳县（《湖北验方集锦》第一集）。

【主治】 黄疸，腹水。
【方药】 茵陈六钱 防己五钱 泽泻四钱 猪苓四钱
【制法】 水煎。
【用法】 内服，连服4~6剂。
【出处】 监利县（《湖北验方集锦》第一集）。

【主治】 阴黄、阳黄。
【方药】 薏米五钱 茵陈五钱 车前子五钱 油桂三钱
【制法】 水煎。
【用法】 饭前服，可服三至七剂。
【出处】 监利县（《湖北验方集锦》第一集）。

【主治】 黄疸病（属阳黄证者）。
【方药】 核桃（捣） 槟榔（捣） 红枣各两个 川军五钱 茵陈五钱
【用法】 水煎，以童便为引服。
【出处】 阳原县张廷仕（《十万金方》第二辑）。

【主治】 慢性黄疸病，其症初期腹满，消化不良，四肢乏力，渐致遍身皮肤发黄，白眼球亦黄，重则尿痰、涎汗等皆黄以及浮肿。
【方药】 黑矾半斤 白芷三钱 茵陈 木通各五钱 小枣去核三百个

【制法】 将前药四味，用水四碗，煎去渣，再将小枣入药水中煮至汤尽枣熟，取枣食之。

【用法】 取枣每次三个，白水送下，一日二次。食完不愈，继续再制，以病愈为止。服后感觉心烦，此将愈之兆。

【出处】 安平县李化棠（《十万金方》第三辑）。

【主治】 黄病，无论阴黄、阳黄，轻重服之皆效。

【方药】 卷子干　皂矾　鲜姜各四两　蜜二两　枣肉三两至四两

【制法】 以上各味共捣为丸，黄豆大。

【用法】 每饭前用一二丸不可多用，每日服用二至三次，服后前一二日大便发黑无碍。禁食用各种肉类和鸡蛋。

【出处】 无极县姚武卿（《十万金方》第三辑）。

【主治】 黄疸病，症见眼睛指甲发黄，后则全身皆黄，脉见沉细。

【方药】 大白条麦子七粒　白眉白豆七粒　江米七粒　苦瓜蒂七个　公鸡粪七个

【用法】 共为细末，吹鼻腔内，见黄鼻涕流出不要扯断任其自坠，轻者一次、重者二次即愈。

【治验】 ①藁城秦家庄张淑完女25岁，患黄疸病，用此方治愈。②藁城梁家庄郝某某（30岁）、郝小廷（男，40岁）皆患黄疸病，均用此方治愈。

【出处】 无极县薛延选（《十万金方》第三辑）。

【主治】 黄疸（阳黄）。

【方药】 茵陈五钱 栀子五钱 西吉四钱 生甘草二钱 苦丁香若干

【制法】 将丁香研末，用布包住，塞入鼻孔内，流清涕。

【出处】 李荫祥（《河南省中医秘方验方汇编》）。

【主治】 黄疸，胸满不食。

【方药】 茵陈八两 血竭花一两五钱 红糖四两 生蜜四两 高粱酒三斤

【制法】 先熬茵陈取汁，再熬加入血竭、糖蜜，取出贮瓶中，兑入高粱酒，时时摇动，俟药和酒溶化均匀，备用。

【用法】 经常随意服之。

【出处】 商专李嘉祥（《河南省中医秘方验方汇编》续二）。

【主治】 黄疸。

【方药】 黑矾五钱 红糖四钱 饴糖七钱 大麦面四两 大枣（去核）十个（一方加火硝五钱）

【制法】 上药共合一处，捣如泥，为丸豆大。

【用法】 每服五丸，日服一次，重病两料可愈。

【出处】 新专孙柄寅（《河南省中医秘方验方汇编》续二）。

【主治】 黄疸。

【方药】 茵陈一两 黑矾三钱 黑豆两把 胡桃仁一两 红

糖三两

【制法】 共为细末，加水和为丸，每丸三钱重。

【用法】 每服一丸，开水送下。

【出处】 新专李子才（《河南省中医秘方验方汇编》续二）。

【主治】 黄疸病（眼目周身微黄）。

【方药】 玉京二钱　苍术三钱　陈皮二钱　厚朴二钱　甘草二钱

【用法】 用水煎服。

【出处】 开县中西医代表会（《四川省医方采风录》第一辑）。

【主治】 寒湿黄疸（阴黄色暗，便溏，小便不利）。

【方药】 茵陈五钱　白术二钱　附子五分　干姜五分　炙甘草五分

【用法】 水煎服。

【禁忌】 孕妇忌服。

【出处】 西宁市卫协徐养臣（《中医验方汇编》）。

【主治】 黄疸。

【方药】 煅皂矾一两　红枣一两　猪肝二两　荞麦粉一两　甜酒1盅

【用法】 以上各味共捣如泥为丸。成人每天服二至三钱，小孩酌减。

【出处】 江西东乡（《中医名方汇编》）。

【主治】 黄疸（肝脾肿大）。

【方药】 黑豆一两 红枣一两 皂矾一两 核桃三个 蒸馍三两

【用法】 将红枣去皮核晒干，核桃去皮，馍晒干。共在阴阳瓦上焙干，研成细末，和蜜为小丸。每服五分，一日二次，开水冲下。

【出处】 湟中中医进修班（《中医验方汇编》）。

【主治】 黄疸。

【方药】 煅铁落一两 无名子二两 茵陈二两 红糖少许 麦粉适量

【制法】 研末，炼糖为丸，如梧子大。

【用法】 成人每服十五粒，小儿酌减。

【出处】 孝感专署（《湖北验方集锦》第一集）。

【主治】 黄疸，通身面目悉黄如金。

【方药】 白术 猪苓 泽泻 茵陈 茯苓各一两

【用法】 上为末，温开水调下五钱。

【提示】 本方可一日服两次，上下午各服三钱，如一次服五钱，量太多。

【出处】 乐清县黄冠球（《浙江中医秘方验方集》第一辑）。

【主治】 黄疸。

【方药】 茵陈一两 生地五钱 黄芩五钱 柴胡三钱 龙胆草三钱 栀子三钱

【用法】 水煎服。

【治验】 三五剂即愈。

【出处】 沽源县魏汉章（《十万金方》第二辑）。

【主治】 黄疸（俗称黄病）。

【方药】 槟榔二钱　大黄三钱　红茶二钱　茵陈一钱半　红枣（去核）七个　红糖二两

【用法】 水煎温服，每日一剂，连服三剂。

【出处】 怀安县武廷荐（《十万金方》第二辑）。

【主治】 黄疸病。

【方药】 煅黑矾一两　黑豆四（炒八成熟）两个　灵脂块二两　鸡内金一两　花椒一两半　炒白面四两　共为细末。

【制法】 大枣二斤，煮软去皮核，捣为泥，和前药为丸服，每丸三钱。

【用法】 早午晚各服一丸，服前白开水送下。

【治验】 田兴村张某某，面色黄，黄眼球，四肢无力，经服二十天痊愈。

【出处】 安国庞各庄李茂林（《祁州中医验方集锦》第一辑）。

【主治】 黄疸。

【方药】 针砂　绿矾各四两　绵茵陈　牛膝　当归各二两　广木香一两半

【制法】 将针砂、绿矾入在陶器中，并加适量的醋搅匀，隔一夜后，用草纸将药品包起来（要包十余层）放在炭火上煅至朱砂色。取出其中透红者三两，和其余的药品共研末，和蜜为丸，如绿豆大，收贮在瓶子里，勿使其泄气。

【用法】 开水送服。用量由一钱起，逐渐增加至三钱。

【提示】 初服时会有副作用，如恶心等，但三五天后即恢复正常。

【出处】 莆田县李文杏（《福建省中医验方》第三集）。

【主治】 全身发黄，小便少，不能食。

【方药】 茵陈蒿　炒黑矾　核桃仁　猪肪油　红糖　大枣去皮核各四两

【制法】 上药一处，共捣为丸，三钱重。

【用法】 每服一丸，每日二次，重者两料可愈。

【出处】 洛专贾维汗（《河南省中医秘方验方汇编》续一）。

【主治】 黄疸。

【方药】 陈皮　油朴　苍术　青皮各四钱，共为面　黑矾二两　大枣八十枚　香油一两

【制法】 先将枣煮熟后，去皮核，取肉捣为泥，再用水一小碗和香油共入锅内煮沸，将黑矾加入溶化后，加入药面，放凉后，把枣泥和入拌匀，为丸如绿豆大。

【用法】 每晚饭后，用栀子、茵陈少量煎水，冲服二十粒，次早再冲服十粒，连服十日后，早晨不再服用。

【出处】 唐河卫协会（《河南省中医秘方验方汇编》续一）。

【主治】 黄疸（阴黄，小便不利）。

【方药】 猪苓一钱半 茯苓三钱 白术一钱半 泽泻一钱 茵陈五钱 薄荷五分

【用法】 水煎服。

【出处】 西宁市卫协徐养臣（《中医验方汇编》）。

【主治】 黄疸腹胀，尿如皂角汁。

【方药】 茵陈两 黄芩四钱 大黄三钱 生栀子三钱 木通三钱 枳实一钱

【用法】 水煎服。

【出处】 侯宝山（《大荔县中医验方采风录》）。

【主治】 黄疸。

【方药】 山栀 神曲 黄芩 黑矾 槐子各五钱 白麦面一斤

【制法】 以上五味，焙黄色为细末，同面烙馍十六个。

【用法】 每日吃一个。

【出处】 西安市中医进修班翟春圃（《中医验方秘方汇集》）。

【主治】 黄疸。

【方药】 茵陈五钱 黄连三钱 黄芩三钱 山栀三钱 甘草三钱 青羊胆一个

【用法】 水煎服，用药汁冲羊胆汁服下。

【出处】 德惠县李文雅（《吉林省中医验方秘方汇编》第三辑）。

【主治】 黄疸。

【方药】 皂矾一两 当归五钱 党参五钱 木瓜五钱 怀芪五钱 甘草三钱

【制法】 皂矾煅，其他药炒，共研末，炼糖为丸，如梧子大。

【用法】 每次服四丸，开水送下，空心服。

【出处】 孝感专署（《湖北验方集锦》第一集）。

【主治】 黄疸。

【方药】 焦楂一斤 麦芽二斤 针砂半斤 煅青矾一斤 川芎四两 铁落四两

【制法】 共研末，以茵陈水泛为丸。

【用法】 每日二次，每次五钱，病重共服半斤至一斤，病轻四两即可。

【出处】 孝感专署（《湖北验方集锦》第一集）。

【主治】 阴黄，全身面目皆黄，精神不振，食欲减退。

【方药】 茵陈三钱 白术三钱 猪苓四钱 泽泻四钱 云苓三钱 桂枝二钱

【制法】 水煎。

【用法】 内服。

【出处】 郧西县（《湖北验方集锦》第一集）。

【主治】 黄疸。

【方药】 赤芍三钱 黄柏二钱 六神曲三钱 红花二钱 赤茯苓三钱 茵陈一钱

【用法】 每日一剂，数剂见效，服至黄退为度。

【提示】 本方有利湿、祛瘀消胀作用。

【出处】 金华市张兆智（《浙江中医秘方验方集》第一辑）。

【主治】 阴黄疸，脉沉迟，大便溏泻。

【方药】 茵陈一两　猪苓三钱　泽泻三钱　云苓四钱　焦术四钱　干姜四钱　滑石四钱　附子三钱　甘草二钱

【用法】 水煎服。

【出处】 宁晋县王平山（《十万金方》第二辑）。

【主治】 黄疸。

【方药】 大黑豆四两　红枣半斤　黑矾四两　五灵脂四两　鸡内金（炒）四两　白面（炒）半斤　蜜一斤　花椒四两　茵陈二两

【制法】 蜜丸量虚实用之。忌盐、烟、酒各一百天。

【出处】 平山霍兵台（《十万金方》第二辑）。

【主治】 一身尽黄，眼球亦黄，小便赤涩，大便白，皮肤甲错。

【方药】 炒栀子　黄芩　通草　茯苓　鲜石斛　鲜竹茹　茵陈蒿　龙胆草　引加灯心、竹叶一钱

【用法】 上药为丸，以灯心竹叶煎汤送服。

【治验】 一月即愈，渴者不易治，不渴者易治。

【出处】 沽源县苏鲁滩新生农牧场（《十万金方》第三辑）。

【主治】 黄疸。

【方药】 红栀子五钱　银花四钱　茵陈　川军　生黄柏各三钱　胆草二钱　橘红一钱半　甘草一钱

【用法】 水煎服。

【出处】 晋县中医进修学校（《十万金方》第三辑）。

【主治】 阳黄。

【方药】 茵陈八钱　猪苓三钱　泽泻三钱　木通三钱　栀子三钱　川柏二钱　川萸三钱　茯苓三钱　甘草梢一钱半

【用法】 水煎服。

【出处】 完满县黄纯古（《十万金方》第六辑）。

【主治】 黄胖病，身面发黄浮肿而眼目不黄。

【方药】 皂矾四钱　砂仁三钱　神曲三钱　陈皮四钱　茯苓四钱　川朴三钱　肉桂二钱　甘草二钱

【制法】 共研细末，枣泥为丸，如绿豆大。

【用法】 每服一钱，白水送下。

【出处】 平阳县柏连清（《十万金方》第六辑）。

【主治】 伤寒发黄症，身面俱黄如金色，小便脓黄柏汁样，诸药无效者。

【方药】 柴胡三钱　升麻一钱　茵陈三钱　胆草　木通　甘草各三钱　滑石六钱　黄连三钱　黄芩四钱　黄柏三钱　栀子（炒研）三钱

【加减】 大便实加大黄，目精黄加龙胆草，虚弱人加人参（引用灯心）。

【用法】 水煎服。

【出处】 保专易县傅希才（《十万金方》第十二辑）。

【主治】 黄疸病，症见倦怠无力，胸膈胀满，食欲不振，嗳气，呼吸气短，胃部坚硬作痛等症。

【方药】 炒槟榔一两　胡桃九个烧　葱心三个　姜三片　炒大麦一两　炒绿豆一两　炒桃核九个　烧杏核九个　烧大枣九个　仙人头三个　炒花椒三个　茶叶为引

【制法】 将以上共研粗末，用水三碗，熬成大半碗。

【用法】 一剂一次服完。忌房事、小米、豆子。

【出处】 滦县赵广玉（《十万金方》第十二辑）。

【主治】 黄疸病，周身上下发黄，如金色。

【方药】 泽泻　猪苓　茵陈　焦栀子　川柏　苍术以上各三钱　滑石五钱　黄芩　枳实各三钱　灯心一撮为引

【用法】 水煎服。

【出处】 易县付希才（《十万金方》第十二辑）。

【主治】 黄疸浮肿，浑身酸麻，四肢无力，头部不清，心悸不安。

【方药】 茵陈一两　栀子五钱　于术五钱　赤白云苓一两半　猪苓五钱　泽泻五钱　滑石五钱　砂仁四钱　毛术五钱　榔片四钱　川朴一两　黄柏四钱　木通五钱　白果仁五钱　胆草五钱　黑矾（煅透）二两　共为细面。

【用法】 面糊为丸，绿豆大，硃衣，每服二十丸，白水送下。

【出处】 安国县伍仁桥乡医院杜雅如（《祁州中医验方集锦》第一辑）。

【主治】 黄疸。

【方药】 柿饼一两 乌枣一两 面粉五钱 姜母五钱 铁落五钱 橘红二钱 淡豆豉二钱 绿矾四钱

【用法】 共研末为丸，如黄豆大。每次吞服二十粒，每天三次。

【出处】 仙游县黄作舟（《福建省中医验方》第二集）。

【主治】 黄疸。

【方药】 乌枣肉一两二钱 柿饼三块 面粉三两 山楂三钱 槟榔三钱 枳实三钱 川朴一钱 当归二钱 夜明砂五钱 陈皮二钱 肉桂四分 苍术二钱 茵陈三钱 生地二钱 川贝一钱 麦芽二钱 砂仁二钱 神曲二钱 木香二钱 茯苓三钱 桔梗三钱 甘草三钱 制绿矾二两

【用法】 先将绿矾用醋制九次，后和诸药共研细末，用面粉、乌枣肉、柿饼调为丸如绿豆大。每顿饭后服一钱五分，米汤送下。连服一星期，即可减轻。

【提示】 愈后用田螺汁（取生螺剪去尾部，汁即流下）五钱内服，以防复发。

【出处】 莆田县姚天河（《福建省中医验方》第二集）。

【主治】 黄疸。

【方药】 党参五钱 川芎五钱 桂皮六钱 当归五钱 丹皮五钱 桂枝六钱 肉桂三钱 白芷三钱 良姜五钱 五加皮五钱

苍术五钱　甘草三钱　煅土狗子（蝼蛄）七只　铁屎四钱

【用法】 共研末。用红枣一两，白糖三两，酒水各半炖，其汤冲药粉服下。每次服三四钱。

【出处】 上杭县六区傅群如（《福建省中医验方》第三集）。

【主治】 黄疸。

【方药】 苍术十两　铁菱角（即菝葜）一两半　茵陈五钱　砂仁九两　木香二两　川厚朴二两　吴萸五钱　香附四两　苓皮五两　上庄肉桂二两　腻皮三两　枳壳二两　槟榔一两　术瓜一两　花粉二两　青矾（随量照配）　甘草一两

【制法】 将以上所有的药研末，每两药粉可配青矾（煅的）一钱五分，配好后用米糕为丸。

【用法】 用姜枣汤送下，每日早晚共服两次，每次服三钱。

【出处】 上杭县九洲乡粮丰材（《福建省中医验方》第三集）。

【主治】 黄疸。

【方药】 穿山甲二钱　黑豆二两　血竭二钱　黑矾二钱　红枣（去皮核）四两　飞罗面四两　蜂蜜四两

【制法】 共为细末，用枣、蜜和为丸如梧子大。

【用法】 每服十至十五丸，开水送下饭前服。

【出处】 商专杜恒善（《河南省中医秘方验方汇编》续二）。

【主治】 黄疸。

【方药】 党参一两 白术一两五钱 茵陈一两五钱 范志曲一两 麦冬 山楂 赤茯苓 红枣肉各一两五钱 黄芩七钱 黄柏一两 车前子一两 针砂（醋制）二两 苋十二两 煅绿矾二两

【用法】 同捣为丸，如桐子大，每次服二十粒。

【出处】 莆田县方雨苍（《福建省中医验方》第三集）。

【主治】 黄疸。

【方药】 苍术三钱 广皮三钱 白芷三钱 茵陈四钱 黑矾二钱制 红糖四两 烧酒二斤

【制法】 上药共为末，和烧酒同装瓶内，锅中炖两炷香时间取出。

【用法】 每次饮酒二三盅，酒量大者可多饮些，一日服三回，一二料可愈。

【出处】 平兴杨青山（《河南省中医秘方验方汇编》续二）。

【主治】 黄疸兼水肿。

【方药】 针砂（炒，醋煅四次）一两 川朴（姜汁炒）二两 皂矾（黄泥包烧三小时）二两 土苍术二两 东楂肉二两 大白一两 云苓三两 陈皮二两 枳壳（麸炒）一两

【制法】 上药共为细末，醋打面糊为丸，如桐子大。

【用法】 每服十丸至二十丸。

【禁忌】 发物生冷。

【出处】 光山吴世栋（《河南省中医秘方验方汇编》续二）。

【主治】 黄疸。全身发黄，瘙痒，倦怠，食欲不振，有时恶心吐水，腹内隐痛，小便混浊，色黄，睡眠不好。

【方药】 茵陈一两 生栀子三钱 白术三钱 猪苓三钱 云苓三钱 泽泻三钱 桂枝三钱 鸡内三钱 麦芽三钱

【加减】 恶心呕吐，加丁香二钱，清夏三钱；大便干，加火麻仁五钱；脉搏细小，加附子二钱；腹内有震荡水音，加干姜二钱；小便转清，去栀子。

【用法】 用水将药煎两次，和起，分两次早晚空心服。

【禁忌】 忌刺激性和生硬食物。

【出处】 平鲁县班济（《山西省中医验方秘方汇集》第二辑）。

【主治】 水湿发黄症。

【方药】 自附片五钱 煅青矾五钱 煅针砂五钱 土茵陈五两 川黄柏一两五钱 漂白术五钱 上油桂一钱 白猪苓五钱 建泽泻五钱 炒栀仁八钱

【制法及用法】 共研细末，用陈早米饭捣烂和此药末为丸，如梧桐子大，每日服三次，每次吃四十粒，开水吞服多效。

【出处】 清江卫协分会彭永霖（《江西省中医验方秘方集》第三集）。

【主治】 水湿黄疸（目珠及皮肤发黄，手足无力麻木，腹胀）。

【方药】 西茵陈八钱 漂苍术五钱 安桂二钱 厚朴五钱 针砂五钱 煅青矾八钱 红枣去核二两

【制法及用法】 共研细末，炼蜜为丸，每日早晚开水吞服三钱。

【禁忌】 忌食咸物。

【出处】 新建县卫协分会（《江西省中医验方秘方集》第三集）。

【主治】 黄疸。

【方名】 龙胆泻肝汤加减

【方药】 龙胆草（水浸不炆）二钱　正西庄二钱　桃仁二钱　红花一钱半　郁金一钱半　茵陈三钱　栀子完好的三个　苦参二钱　黄芩一钱

【用法】 水煎服。

【治验】 黄某浑身发黄，两目如金橘，带有血丝，胸口刺痛，用此方二包下黑粪两次，黄退三分之二，后以鸡蛋五个，放锅内炒焦，榨出蛋油一匙，再以酒糟一盅冲蛋油服，其病尚好转。

【出处】 新建卫协分会（《江西省中医验方秘方集》第三集）。

【主治】 阴黄病。

【方药】 茵陈三钱　焦术三钱　云苓二钱　附片二钱　干姜一钱　肉桂一钱半　蔻仁一钱　广香一钱半　川椒一钱　炙草一钱

【用法】 水煎两次，先后分服。

【出处】 熊绍邦（《崇仁县中医座谈录》第一辑）。

【主治】 阴黄病。

【方药】 茵陈三钱 云苓三钱 白术三钱 附子三钱 泽泻二钱 桂枝一钱半 川姜一钱 砂仁一钱半 藿香一钱半 广皮一钱半

【用法】 水煎两次，先后温服。

【出处】 陈逊谦（《崇仁县中医座谈录》第一辑）。

【主治】 阴黄病。

【方药】 于术二钱 云苓二钱 茵陈二钱 附片三钱 川姜一钱 肉桂八分 甘草八分

【用法】 水煎两次，先后温服。

【出处】 龙克昌（《崇仁县中医座谈录》第一辑）。

【主治】 阳黄病。

【方药】 茵陈三钱 栀子三钱 黄柏二钱 防己二钱 猪苓二钱 黄芩二钱 甘草一钱

【用法】 水煎两次，先后温服。

【出处】 熊绍邦（《崇仁县中医座谈录》第一辑）。

【主治】 阳黄病（黄如橘子色）。

【方药】 茵陈三钱 青蒿二钱 连轺三钱 猪苓二钱 云苓二钱 黄柏三钱 白术二钱 栀子三钱 赤小豆三钱 川朴二钱 黄芩二钱 槟榔二钱 大黄三钱 枳实二钱 腹皮三钱

【用法】 水煎两次，先后分服，连服二三剂，二便通畅，腹不作饱，将原方减去大黄、川朴、槟榔、枳实四味，再服三剂而愈。

【出处】 邹梧生（《崇仁县中医座谈录》第一辑）。

【主治】 阳黄病。

【方药】 云苓三钱　白术三钱　猪苓三钱　泽泻一钱半　香薷一钱半　青蒿二钱　栀子三钱　黄柏三钱　桂枝一钱半

【用法】 水煎两次，先后分服，服后大便闭，小便赤，本方去桂枝、香薷、青蒿加大黄三钱，化石二钱，防己二钱，槟榔二钱，腹毛三钱服之而愈。

【出处】 陈逊谦（《崇仁县中医座谈录》第一辑）。

【主治】 阳黄病。

【方药】 于术二钱　云苓二钱　茵陈一钱半　猪苓一钱半　泽泻一钱半　栀子二钱　黄柏一钱半　甘草八分

【用法】 水煎两次，先后分服。

【出处】 龙克昌（《崇仁县中医座谈录》第一辑）。

【主治】 黄疸小便不利。

【方药】 茯苓三钱　猪苓二钱　泽泻二钱　白术二钱　桂枝一钱半　茵陈四钱　郁金二钱

【煎法及用法】 用水二茶杯，煎至一茶杯，清出去渣，饭前温服。隔三小时，渣再煎服。

【出处】 （《青海中医验方汇编》）。

【主治】 黄疸脾，胃虚弱，消化不良，色带暗带。

【方药】 白术二钱　茵陈三钱　泡附子一钱半　干姜二钱　草豆蔻一钱　枳实一钱半　泽泻二钱　茯苓三钱　生姜三片

【煎法及用法】 用水二茶杯，煎至一茶杯，清出去渣，饭前温服。隔三小时，渣再煎服。

【禁忌】 孕妇忌服。

【出处】（《青海中医验方汇编》）。

【主治】 黄疸，右胁下腹部阵发性疼痛，发热恶寒，恶心呕吐，吐出食物及黄色苦水等。

【方药】 党参三钱 白术三钱 干姜二钱 桂枝一钱半 郁金二钱 陈皮三钱 鸡内金二钱 砂仁一钱半 法夏二钱 炙草一钱

【煎法及用法】 用水二茶杯，煎至一茶杯，清出去渣，饭前温服。隔三小时，渣再煎服。

【禁忌】 孕妇忌服。

【出处】（《青海中医验方汇编》）。

【主治】 黄疸。

【方药】 当归一两 川芎八钱 茯苓五钱 建曲五钱 山楂五钱 陈皮五钱 麦芽四钱 猪苓五钱 泽泻五钱 栀子三钱 白术（土炒）一两 茵陈四钱 青皮四钱

【用法】 水煎，加酒引，内服。

【禁忌】 孕妇忌服。

【出处】 青海石油职工医院唐文斌（《中医验方汇编》）。

【主治】 黄疸。

【方药】 党参三钱 陈皮二钱 厚朴二钱 莱菔子一钱半 广木香八分 香附一钱半 紫蔻一钱半 腹毛一钱半 茵陈四钱 茯苓三钱 砂仁一钱半 檀香一钱半 甘草一钱半 玉片三钱

【用法】 水煎服。
【禁忌】 孕妇忌服。
【出处】 大通中医进修班蔡宗玉（《中医验方汇编》）。

【主治】 黄疸。
【方药】 橘红三钱　玉片三钱　沉香一钱半　茵陈四钱　法半夏二钱　砂仁一钱半　檀香一钱半　赤苓三钱　泽泻二钱　白术二钱　甘草一钱　紫蔻壳一钱半
【用法】 水煎服。
【出处】 大通中医进修班蔡宗玉（《中医验方汇编》）。

【主治】 黄疸。
【方药】 泽夕三钱　苍术二钱　白术二钱　栀子三钱　茵陈三钱　桂枝一钱半　粉草一钱　猪苓三钱
【用法】 水煎温服。
【出处】 孙林卿（《大荔县中医验方采风录》）。

【主治】 黄疸，面目俱黄如橘（阳黄）。
【方药】 白术一钱五　甘草一钱　木通二钱　黄芩三钱　大黄二钱　栀子三钱　茵陈三钱　知母三钱　泽泻三钱　蔻壳二钱
【制法】 水煎。
【用法】 分二次服。
【出处】 孝感专署（《湖北验方集锦》第一集）。

【主治】 遍身发黄。
【方药】 明党参三钱　茯苓三钱　神曲二钱　白莲二钱　苍

术二钱　猪苓二钱　茵陈二钱　白术二钱　川厚朴二钱　甘草一钱　苡仁米三钱　紫草二钱　生姜皮二钱

【制法】 水煎。

【用法】 每日服三次，连服三剂。

【出处】 孝感专署（《湖北验方集锦》第一集）。

【主治】 黄疸（疸）。

【方药】 茵陈一两　栀子四钱　郁金三钱　姜黄三钱　丹皮三钱　赤芍二钱　滑石一钱

【制法】 用水一斤煎。

【用法】 内服，每日一剂，以愈为度。

【出处】 孝感专署（《湖北验方集锦》第一集）。

【主治】 黄疸。

【方药】 防己二钱　苏红三钱　川朴二钱　苍术三钱　茯苓三钱　桂枝二钱　苡米三钱　知母二钱　茵陈三钱　猪苓二钱　泽泻二钱五分　甘草二钱

【制法】 水煎。

【用法】 内服。

【出处】 鄂城县（《湖北验方集锦》第一集）。

【主治】 黄疸兼肿胀，四肢发黄，头昏眼花，耳鸣无力。

【方药】 青蒿一两　商陆八钱　猪苓六钱　泽泻八钱　二丑八钱　神曲一两　香附八钱　灵脂六钱　栀子八钱　大黄一两　生铁落（醋煅）二两　红糖十两

【制法】 共为细末，与红糖和匀。
【用法】 每日二次，每次五钱，开水送下。
【出处】 恩施专署（《湖北验方集锦》第一集）。

【主治】 黄疸病，兼口苦、耳聋、胁痛、脉弦、小便黄者。
【方药】 胆草三钱 黄芩一钱 栀子一钱 泽泻一钱 木通五钱 当归三钱 甘草一钱 生地三钱 柴胡一钱 前仁五钱 茵陈三钱
【制法】 水煎。
【用法】 日三次，分服。
【出处】 恩施专署（《湖北验方集锦》第一集）。

【主治】 面黄水肿。
【方药】 人参败毒散加茵陈一两 蚕砂六钱 龙胆草三钱
【制法】 水煎。
【用法】 内服。
【出处】 建始县（《湖北验方集锦》第一集）。

【主治】 眼黄面黄，发热，舌苔燥裂，津少不渴。
【方药】 茵陈三钱 胆草三钱 丹皮三钱 生地四钱 骨皮三钱 白术四钱 银柴胡三钱 天冬三钱 花粉三钱 茯苓二钱 腹毛二钱 火麻仁四钱 附片一钱
【制法】 水煎。
【用法】 内服。
【出处】 建始县（《湖北验方集锦》第一集）。

【主治】 治多年黄疸，指甲皆黄。

【方药】 槟榔 大腹皮 苍术 枳壳各二钱 炒萝卜子 制青矾 百草霜各一两 沉香一钱

【用法】 以黑枣去核捣作丸，成人每次服二钱，未成年人减半。忌吃鱼、蛋。孕妇忌服。

【出处】 开化县祝鼎祥（《浙江中医秘方验方集》第一辑）。

【主治】 黄疸病，急慢性胆道阻塞发炎。

【方药】 茵陈三钱 胆草三钱 黄连一钱 砂仁一钱 柴胡二钱 白芍五钱 法夏三钱 茯苓三钱 甘草三钱

【制法及用法】 水煎服。

【提示】 本方具有利湿清热消炎作用，茵陈一味，分量可加倍用。

【出处】 覃湘霖（《成都市中医验方秘方集》第一集）。

七、胁肋胀痛

胁肋胀痛是以一侧或两侧胁肋部感觉发胀疼痛为主要表现的病证。中医认为，气郁痰凝、肝气郁结、肝火犯肺、瘀血停滞等均可导致；西医则认为，很多肝胆疾病，如肝炎、胆结石，以及肋骨软骨炎或肋间神经痛均可引起胁肋胀痛。

【主治】 肝气痛。

【方药】 巴豆皮　甜杏仁　黄芥子各三钱

【制法】 焙干碾为细末过罗，用黄蜡一两，溶化和药为丸，如绿豆大。

【用法】 早晚空心服八丸，服后肚中之气发响者，仍服八丸为例。如服后肚中之气不响，后服时可加四丸成十二丸。服后再察气之响与否，如气响，每次照十二丸服。如服十二丸仍不响，是腹肠挺硬，可再加四丸。

【提示】 肝气痛，轻者一付愈，重者三付愈。按巴豆皮消积滞，甜杏仁消心腹逆闷，黄芥子利九窍、除冷气，三者合剂，可以通利，通则不痛，对肝气痛此方可以有效。

【出处】 西安市中医学会（《中医验方秘方汇集》）。

【主治】 左胁肋疼痛。

【方名】 左金枳橘散

【方药】 郁金三钱 枳壳三钱 姜黄片三钱 橘红三钱 藕节五钱

【制法】 共为细末。

【用法】 每服一钱，日三服。

【出处】 宁晋县吴丙耀（《十万金方》第二辑）。

【主治】 右胁疼痛。

【方名】 右金枳芎散

【方药】 郁金三钱 姜黄三钱 枳壳三钱 川芎三钱 不留三钱

【制法】 共为细末。

【用法】 每服一钱。

【出处】 宁晋县吴丙耀（《十万金方》第二辑）。

【主治】 两胁攻痛。

【方药】 川军五钱 二丑六钱 榔片三钱 川郁金三钱 川山甲珠三钱 砂仁三钱 广桂三钱

【用法】 为细面，蜜丸，每个三钱重，顿服三丸。

【出处】 安国县城东乡于堤门诊部戴耀文（《祁州中医验方集锦》第一辑）。

【主治】 胁下痛。

【方药】 柴胡二钱 牡蛎三钱 郁金二钱 元胡三钱 白芍三钱 木香一钱半 炙草二钱 青皮一钱半

【煎法及用法】 用水二茶杯，煎至一茶杯，清出去渣，饭前温服。隔三小时，渣再煎服。

【禁忌】 孕妇忌服。

【出处】 (《青海中医验方汇编》)。

【主治】 两肋胀满，胃脘刺痛，痞满胃寒，嘈杂呕吐吞酸，饮食不振胸胃胀。

【方名】 舒肝调中丸

【方药】 焦四仙各一两 台乌药六钱 大青皮一两 川木香一两醋炒 香附八钱 砂仁一钱半 白芍五钱 当归一两 紫厚朴一两 元胡八钱 陈皮一两半 吴萸六钱 片姜黄五钱 沉香四钱

【制法】 共研末，炼蜜为丸，每丸二钱重。

【用法】 一日服两次，每次一丸。

【出处】 张家口市赵达夫(《十万金方》第十二辑)。

【主治】 气血郁结，积聚结块，胸腹胀痛。

【方名】 开郁正元散

【方药】 白术三钱 陈皮一钱五分 香附三钱 山楂三钱 海蛤粉三钱 桔梗一钱五分 茯苓三钱 青皮一钱五分 砂仁一钱 甘草一钱五分 元胡三钱 神曲三钱

【用法】 水煎服。

【出处】 保定市张景韩(《十万金方》第十二辑)。

八、肝脾肿大

肝脾肿大指肝脏或/和脾脏增大，可在肋下被触及。中医认为，治疗肝脾肿大重在疏肝理脾、软化肝脾。

本病也常见于慢性肝炎、肝硬化、白血病等，故应查清病因，及时治疗原发病。

【主治】 肝脾肿大。

【方药】 金圭脱壳（即山荔枝、金龟脱壳）根茎三两

【用法】 水酒各半炖服，连服二至三次。

【出处】 福州市陈师水、张潮海、王习芦（《福建省中医验方》第四集）。

【主治】 癥瘕，腹大水肿，下痢赤白等症。

【方药】 马鞭草一两

【制法】 水煎或研末。

【用法】 内服（研末温水冲服）。

【出处】 监利县（《湖北验方集锦》第一集）。

【主治】 肝脾肿大（血吸虫病肝脾肿大）。

【方药】 双钱排（即钱排草、钱模根）五钱　旋覆花五钱

【用法】 酒汤各半炖服。

【出处】 福清县城关镇高巷四十五号陈朝铭、福州市刘福星（《福建省中医验方》第四集）。

【主治】 肝脾肿大（脾脏肿大）。

【方药】 炙黄芪八钱　当归　何首乌　鳖甲（蜡炒）各三钱

【用法】 水煎。每日早晚空心服。

【出处】 尤溪县汤川区卫协会陈仰云（《福建省中医验方》第四集）。

【主治】 胸满积聚，肚腹膨胀，面目浮肿，大便秘，小便赤，口干舌燥，气短似喘，腹中块痛，肝硬等症，但脉症俱实者可用。

【方名】 消积饮

【方药】 柴胡三钱　条芩三钱　青皮三钱　三棱三钱　莪术三钱　枳实三钱　内金三钱　鳖甲三钱　牡蛎三钱　香附四钱　杭芍三钱　川军三钱　甘草三钱　引用干姜一钱五分

【制法】 水煎服。

【用法】 空心服用。

【加减】 体虚者，加入人参三钱；瘀滞者，加桃仁、红花、丹皮。

【出处】 张专涿鹿县岑效儒（《十万金方》第一辑）。

【主治】 痞块（脾脏肿大）。

【方药】 党参三钱　焦术四钱　炒鳖甲一两　砂仁一两　陈皮三钱　广木香一钱半　茯苓三钱　甘草一钱半　三棱一两　莪术

三钱

【制法】 三棱、莪术二味，共研末另包，余药水煎。

【用法】 日服三次，三棱、莪术分三次用药汤送下。勿食生冷及不易消化之食物。

【提示】 虚甚者慎用。

【出处】 孝感专署（《湖北验方集锦》第一集）。

九、痞积

痞积是中医的病症名，主要表现为胁下有硬块，可以触摸到，时痛时止；或有时并没有实际的痞块，而是病人的一种自觉症状，即胸腹间感觉胀满。

【主治】 腹中积痞。

【方药】 血灵脂八两　制香附八两　二丑各一两

【制法】 共为细末，醋糊为丸如绿豆大。

【用法】 早晚空心各服二钱，小儿酌减。

【出处】 西安市中医进修班边德懋（《中医验方秘方汇集》）。

【主治】 痞积。

【方药】 大米二两　艾叶一两　红糖二两

【制法】 共炒焦黑，研末。

【用法】 冲水一碗，饭前服用。

【出处】 孝感专署（《湖北验方集锦》第一集）。

【主治】 痞积。

【方药】 蟾蜍八个　二丑八两　茯苓八两

【制法】 先将蟾蜍烧焦，与二药共为末。

【用法】 每次开水冲服三钱。

【出处】 孝感专署（《湖北验方集锦》第一集）。

【主治】 痞块坚硬，甚则过脐。

【方药】 肉桂二钱　姜黄三钱　樟脑一钱半

【制法】 共研极细末，混合于膏药溶液内，用青棉布摊成，再将古铜钱七枚，涂上有药末的膏药液，膏药大小方面视痞块面积而定。

【用法】 先将患处用温酒推摸，待酒干后，先贴铜钱，次将膏药贴上，经三四日后，痞块部发痒，无副作用，痒甚者更佳。

【出处】 孝感专署（《湖北验方集锦》第一集）。

【主治】 痞积。

【方药】 大黄五钱　制香附一两　大白一两　广香四钱　青皮五钱　枳实五钱　桃仁五钱　郁金五钱　怀山药一两　乌药五钱　生牡蛎一两

【制法】 共碾末，白蜜为丸，如梧桐子大（可加元寸少许上衣）。

【用法】 空心服，每日三次，每次二至三钱。

【出处】 公安县（《湖北验方集锦》第一集）。

【主治】 腹内痞块。

【方药】 莲米　五谷虫　茯苓　山楂　山药　建曲　麦芽　扁豆　龟甲　鳖甲　三棱　莪术各二钱

【制法】 共为细末，用麦面少许，烙成干饼。

【用法】 每日二至三次，随意吃。

【出处】 西安市中医进修班申国栋（《中医验方秘方汇集》）。

【主治】 腹内痞块，按之跳动，坚硬如石，日久不化，引起消化不良，身体卷倦怠。

【方药】 生水蛭四两 生棉芪二两 鸡内金二两 三棱 莪术各二两 生桃仁 红花各二两 槟榔二两 附子 干姜各一两半 当归尾一两

【制法】 水蛭须太阳晒干，切忌火烘，共为细末，水为小丸。

【用法】 每服三钱，开水送下。

【禁忌】 生冷油荤。

【出处】 西安市中医进修班王和卿（《中医验方秘方汇集》）。

十、黄肿病

黄肿病是一种寄生虫病，由钩虫寄生于人体小肠内，吸食人的血液导致。常见症状有：面黄肌瘦，全身浮肿，浑身乏力，甚至嗜食异物。

【主治】 黄肿病。

【方药】 青矾四两　土茵陈四两研末

【制法及用法】 上二味共研极细，用蜜糖为丸如梧子大。一日服两次，每次服两丸。

【禁忌与反应】 忌腥味。服后有吐泻黄水。

【治验】 古田村刘某某，柳田村彭某某，陂下村曾某某等例服一料痊愈。

【出处】 安福小江乡河下社彭梅柏（《江西省中医验方秘方集》第三集）。

【主治】 全身亮黄肿胀。

【方药】 过路黄二钱　臭草二钱

【制法】 研成细末。

【用法】 用淘米水吞服，每次一钱。

【出处】 黄童璧（《贵州民间方药集》增订本）。

【主治】 全身亮黄、皮肤肿胀、积水。

【方药】 蛇莲五钱　茵陈蒿五钱　臭牡丹根二钱　牛姜二钱

【制法】 加水两小碗，煎汤一小碗。

【用法】 内服。

【出处】 杨济中（《贵州民间方药集》增订本）。

【主治】 黄肿，身体困倦、面目萎黄、食欲不振、心跳不宁、脉沉弱无力。

【方名】 黄肿绝力丸

【方药】 西茵陈四两　青矾四两　针砂一两　西党参二两　当归身一两　北黄芪一两五钱　茯苓皮二两五钱　宣木瓜一两　春砂仁五钱　川杜仲一两　怀山四两　川芎七钱　飞朱砂二两

【制法及用法】 青矾用姜汁炒至白色为度，针砂用醋制，合上药共研极细粉末，炼蜜为丸，如绿豆大，朱砂为衣。每日早晚用黄酒空心服，每服一钱。轻者服药二日后病即减轻，重者服至痊愈为度。

【禁忌】 孕妇忌服，忌生冷鱼腥萝卜、葱蒜、寒凉等食品。

【出处】 全南城区联合诊所萧为鹏师授（《江西省中医验方秘方集》第三集）。

【主治】 肌黄肤肿，神虚力疲，气怯懒言，时欲睡眠，消化不良，腹满便溏，小便赤短。但此方以有水气性腹满肌黄为最适宜。

【方名】 黄肿圆

【方药】 上安桂五钱　制附片二两　东坡蔻八钱　茵陈四两

枯青矾两半　乌大豆（系做豆腐用的乌皮豆）一茶盅　鸡内金两半　公丁香五钱　糯米（系酿酒的米）一合

【制法及用法】 共研细末，炼蜜为丸如大豆大，每服三十丸，日服三次，以鲜茅根煎汤送下或白开水送下亦可。

【禁忌】 鱼腥、芋头、水葱、辣椒、油腻及冷滞等物，孕妇忌服。

【治验】 ①澧田乡平原村彭氏，年四十余岁，初病足痿不仁，卧床数年，治愈后腹胀如孕，脚胫浮肿，行动气冲，经诊脉沉细，面少血色，唇舌皖白，极度贫血，曾用归脾补血剂无效，服本方胀渐减，肿渐消，日益好转，服完一料全愈，数月后误食嫩鸭，前症复发，再服一料而愈。

②胡妇，年三十二岁，石桥乡长溪乡人，1957 年因病产蓐劳，疗好后仍面色萎黄，腹胀脚肿，消化不良，大便三四日解一次，月经闭止年余，服本方一料痊愈，月经也复来。

【出处】 永新县禾川镇中医联合诊所朱济才（《江西省中医验方秘方集》第三集）。

【主治】 懒黄病，全身虚肿腹胀、眼角皮肤黄亮、不思饮食或一食即胀、懒劳动、气喘而粗。

【方药】 青矾一两　生面粉二两　制蜂蜜（与全部药粉同量）　甘遂（病重者用）四钱　川芎三钱　当归三钱　云苓三钱　油朴四钱　广香四钱　小茴四钱　枳实一两（视病状增减）

【制法】 各药研成细末混合，制成如梧桐子大小的丸剂。

【用法】 一日三次，每次十丸，用开水吞服。服时整咽，不要咬碎，以免青矾损牙。

【出处】 王锡纯（《贵州民间方药集》增订本）。

十一、胆结石

胆结石又称胆石症，是指胆道系统包括胆囊或胆管内发生结石的疾病。结石在胆囊内形成后，可刺激胆囊黏膜，引起胆囊的慢性炎症，而且当结石嵌顿在胆囊颈部或胆囊管后，还可能导致急性胆囊炎。

【主治】 胆结石。
【方药】 四川大金钱草
【用法】 每日半斤，水煎两次，分服。
【出处】 中医研究院（《中医名方汇编》）。

【主治】 胆管结石，右胁剧痛。
【方药】 红杆金钱草（鲜者）四两　猪肝四两
【用法】 二味同煮，食用时不沾盐类，每天服一剂。
【提示】 金钱草治疸石病有特效，与猪肝同煮，有通补兼施之意。
【出处】 陈明德（《成都市中医验方秘方集》第一集）。

【主治】 胆结石。
【方药】 郁金粉三分　白矾末一分半　火硝粉三分半　滑石

粉六分　甘草末一分

【用法】 和匀共一钱四分一次服，口服 2~3 次。

【禁忌】 孕妇忌服。高血压及肺结核等慢性病减量。

【出处】 西安中医医院李棣如（《中医名方汇编》）。

【主治】 胆结石症。

【方名】 胆结石汤

【方药】 当归一钱　白芍二钱　柴胡二钱　青皮三钱　乌药三钱　薄荷一钱　丹皮三钱　焦栀三钱　佛手三钱　败酱三钱　木通三钱　滑石三钱　胆草二钱

【用法】 水煎服。

【出处】 张家口市张绍康（《十万金方》第十二辑）。

【主治】 胆石病。

【方药】 红石青香汤：红藤八钱　石菖蒲三钱　神砂草四钱　白芷三钱　吴萸三钱　甘草二钱　大血藤四钱　青藤香三钱　酸酸草四钱　五灵脂三钱　家祁艾四钱

【用法】 用水煎服。

【出处】 成都市刘元福（《四川省医方采风录》第一辑）。

【主治】 胆结石。

【方药】 ①炒柴胡四钱　枳实三钱　炒赤芍四钱　生甘草一钱半　淡子芩三钱　茵陈一两　金钱草一两　赤苓八钱　川郁金四钱　丹参三钱

②金钱草一两　茵陈一两　炒柴胡三钱　赤白芍各三钱　满

天星一两　栀子四钱　炒丹参四钱　郁金三钱　炒枳实（炒黑）三钱

【用法】 加水600毫升煎至300毫升，分三次服，一日一剂。

【出处】 重庆第二中医院　重庆医学院附属医院（《中医名方汇编》）。

【主治】 胆囊结石。

【方药】 郁金三两　元胡二两　白术五两　鸡内金二两　白芍三两　香附三两　三棱二两　莪术二两　干姜二两　生甘草一两

【用法】 共研细末，炼蜜为丸，如梧桐子大，每次服五十丸，一日三次，饭前开水送服。

【禁忌】 孕妇忌服。

【出处】 西宁中医院马海如（《中医验方汇编》）。

【主治】 胆石病。

【方药】 红藤五钱　石菖蒲二钱　青藤香三钱　金钱草六钱　血木通三钱　胡黄连四钱　焦艾叶三钱　刮金板三钱　小茴香三钱

【用法】 水煎服，加红白糖为引。

【加减】 如因发吐、心胃疼痛者，加芦竹根四钱，乌梅三钱，藿香三钱；如疼不能止者，加五灵脂二钱，香芭茅三钱，佛手片二钱。

【提示】 本方诸药，有止痛、清利、散积之效，患胆石病者，可采用之。

【出处】 刘元福（《成都市中医验方秘方集》第一集）。

【主治】 胆结石症。

【方药】 茯苓一钱 猪苓四钱 泽泻三钱 白术二钱 茵陈四钱 鸡内金三钱 桔梗一钱 黄芩一钱 郁金二钱 甘草一钱

【用法】 水煎服。

【提示】 三剂痛止，续服三剂痊愈。

【出处】 互助人民医院杨焕（《中医验方汇编》）。

十二、胆囊炎

胆囊炎是一种较常见的肝胆系统疾病，主要表现为胆囊部位持续性胀痛，并随着病情进展，疼痛可加重。

胆囊炎的疼痛呈放射性，最常见的放射部位是右肩部和右肩胛骨下角等处。

【主治】 胆囊炎。

【方药】 茵陈三物汤：茵陈一两　山栀三钱　郁金五钱　白术五钱

【用法】 入水 400 毫升，煎至 200 毫升，每服 100 毫升，四小时服一次。

【禁忌】 孕妇不宜服。

【出处】 西宁中医院马海如（《中医验方汇编》）。

【主治】 胆囊炎。

【方药】 绵茵陈三钱　青蒿三钱　焦山栀二钱　花粉二钱　苍耳子二钱　白芷四钱　薄荷一钱　连翘三钱　黄芩二钱　川木通二钱　双钩藤三钱　荷叶边一片　干芦根四钱　生石决明四钱　杭菊花三钱　益元散三钱

【用法】 水煎服。

【治验】 胡某某，男，二十岁，住安乐乡广养社，头眩晕且胀，行路不稳，胸闷，小溲色黄微热，口干，颜面发黄浮肿，西医诊断为胆囊炎，历经多地治疗无效。后经服用上药，二剂加蔓荆子三钱，三诊加珠茯神三钱，佩兰叶三钱，桑白皮、冬桑叶各二钱，减白芷连翘共七剂而愈。

【出处】 南昌市万济民（《锦方实验录》）。

【主治】 急性胆囊炎。

【方药】 三七粉三钱 麝香五厘 川黄连一钱 茯苓三钱 威灵仙四钱 炙香附二钱 台乌药二钱 胆草八分

【用法】 除麝香、三七粉外，余药水煎，吞服麝香、三七粉。

【提示】 成人剂量。

【禁忌】 孕妇不宜服。

【出处】 西宁中医院陆景棠（《中医验方汇编》）。

【主治】 急、慢性胆囊炎，胆石症，肝气痛。

【方药】 元胡三钱 郁金三钱 香附三钱 柴胡二钱 青皮一钱半 陈皮钱半 白芍三钱 白术三钱 法半夏二钱 茵陈四钱 鸡内金三钱

【用法】 水煎服，一日一剂。

【禁忌】 孕妇忌服。

【出处】 西宁中医院章承启（《中医验方汇编》）。

【主治】 急性胆囊炎。

【方药】 大黄三钱 栀子三钱 茵陈一两 鸡内金三钱 郁金三钱 莪术三钱 三棱三钱 乳香三钱 没药三钱

【用法】 水煎服。

【提示】 一剂痛止，三剂痊愈。

【出处】 互助人民医院杨焕（《中医验方汇编》）。